괴짜 대학생의 낭만일지

발 행 | 2021-02-24

저 자 | 배재윤

펴낸이 | 한건희

펴낸곳 | 주식회사 부크크

출판사등록 | 2014.07.15(제2014-16호)

주 소 | 서울 금천구 가산디지털1로 119, A동 305호

전 화 | 1670 - 8316

이메일 | info@bookk.co.kr

ISBN | 979-11-372-3767-4

본 책은 브런치 POD 출판물입니다.

https://brunch.co.kr

괴짜 대학생의 낭만일지

배재윤 지음

𝑏

문득 꺼내 볼 수 있는 책이 되길 바라며

목차

1장

당신의 안부를 묻습니다

4장

누군가의 낭만을 그리고 새깁니다

프롤로그 _ 당신에게 낭만을 선물합니다

난 괴짜 같은 사람이다. 수학교육을 공부하지만 수학 문제를 푸는 것보다 글 쓰는 것이 좋은 사람. 수학으로 사람들의 이야기를 담아낼 수 있을 거라 믿는 사람.

삶과 수학을 연결한 글을 써 SNS에 올린 적이 있다. 반응은 꽤 긍정적이었다. 수학이 삶의 교훈을 가져다줄지 전혀 몰랐다고 말이다.

나의 독특한 생각에 공감하는 출판사와 출간 계약까지 성공적으로 마쳤다. 하지만 편집 과정에서 몇몇 원고들이 삶과 수학이 호응되지 않는다는 이유로 거절당했다. 그중엔 수학을 빼고 보면 참 괜찮은 이야기도 있었다. 거절당했다는 이유만으로 출간되지 못할 거란 사실에 가슴 아팠다. 아쉬운 마음에 인스타에 글을 올렸다. 댓글이 몇백 개씩 달리는 건 아니었지만 내 글에 공감해주고 찾아주는 독자들이 생겼다. 그들에게 좋은 책을 선물하고 싶었다.

"멀리 바라볼 때 비로소 보지 못한 풍경이 펼쳐졌다."

찰리 채플린의 말을 빌려 만든 문장이자 내가 이 책을 통해 여러분에게 전하고 싶은 낭만이다. 책 표지를 보면 분홍빛 하늘에 비행기가 날아가는 모습이 아름답다고 생각할 테다. 하지만 비행기의 정체는 전쟁 때 쓰이는 전투기다. 참 역설적이다. 사람을 죽이는 대량살상무기가 하늘에 떠 있는데 어찌 아름답다고 할 수 있을까. 괴상한 모습이지만 우리 삶과 같다. 지워버리고 싶은 기억이 조금은 희미해졌으면 좋겠다고. 무시무시한 전투기가 분홍빛 하늘에 압도되어 아름다워지듯이 우리 삶도 분명 그럴 거라고.

1장 "당신의 안부를 묻습니다"에서는 이십 대가 겪는 불안함과 우여곡절들에서 찾은 낭만을 담았다. 당신의 안부를 묻고 오늘은 어제의 나보다 나아질 거란 확신을 주고 싶다. 2장 "슬픔이 우리에게 다가올 때"에서는 슬픔 가운데서도 결코 낭만을 잃지 말자는 간절한 바람이다. 3장 "사랑은 낭만을 싣고"에서는 내 생각과 경험을 풀어낸 러브 스토리다. 4장 "누군가의 낭만을 그리고 새깁니다."에서는 나를 포함한 다양한 사람들의 낭만을 담았다.

사람은 동물과 다르게 낭만을 꿈꾸며 사는 존재다. 여러분이 가진 바로 그 낭만이 사람을 아름답고 아름답게 만들 거라 굳게 믿는다.

꽃이 피는 계절을 기다리며

2021. 02. 11

작가 배재윤

1장

당신의 안부를 묻습니다

나무가 되려 합니다

마음은 무한한 우주보다 넓고
일생은 바다보다 더 깊을 텐데
당신을 어찌 전부 헤아릴 수 있을까

헤아릴 수 없다고 해서
다가가지 않으면
더 나아질 수 없다는 걸 알기에
한 그루의 작은 나무가 되려 합니다

연약하고 쓰러질 것 같은 이 나무는
기대면 아파서 쓰러질지도 모르지만
당신이 내게 쉬이 기댈 수 있도록
어깨 정돈 기꺼이 빌려줄 수 있는 걸

그러니 나는 나무가 되겠습니다
당신이란 마음 위에 우뚝 서 있을게
내가 완전히 쓰러지기 전까지 말이야

고마운 사람과 나누는 대화란

　열네 살 정도로 보이는 학생 두 명이 비를 맞으며 곧 출발하는 버스를 향해 정신없이 뛰었다. 다행히 둘은 버스에 탈 수 있었고 덜컹거리며 문이 닫혔다. 한 학생이 빗물에 젖은 우산을 정리하기 위해 잠시 손잡이를 놓았다. 그때 버스가 비탈진 길을 미끄러지듯 내려갔다. 학생은 요동치는 버스의 움직임을 이기지 못하고 이리저리 휘청거렸고 이내 쓰러졌다.

　난 재빨리 일어나 학생의 팔을 붙잡아 일으켰다. "학생 여기 앉으세요." 내가 앉아 있던 의자에 넘어진 학생을 앉혔다. 그러자 그 학생은 고개를 숙이며 말했다. "정말 고맙습니다." 난 사람들의 시선이 향하는 것이 부끄러워 후다닥 버스 뒤편으로 도망갔다. 학생 두 명은 사이좋게 젖은 우산을 정리하고 있었다.

"고맙다."라는 말은 내게 늘 고맙다. 고맙다는 말을 들으면 언제나 기분이 좋아지니까. 나도 모르는 선행을 베풀었을 때에는 기쁨이 배가 된다. 복학하고 낯선 사람들을 만나야 한다는 생각에 두려운 마음이 가득했었지만 고맙다는 말 한마디가 행복을 가져다주었다. 난 이 행복을 다른 사람에게도 전하고 싶었다.

새 학기 첫째 날, 열정적으로 수업을 하시던 학과 교수님이 생각났다. 교수님은 무척이나 땀을 흘리셨다. 비도 오고 강의실 에어컨까지 고장 나 버렸으니 아주 그냥 한바탕 샤워를 하셨다. 난 강의실 맨 앞에 앉아 교수님 손가락 끝에서 땀방울이 떨어지는 것을 보았다. 교수님은 끝까지 분필을 놓지 않으셨다. "오늘 꽤 덥죠? 제가 더우면 땀을 많이 흘려서 그래요. 미안합니다." 그 말은 가슴을 먹먹하게 했다.

집으로 향하는 지하철에서 교수님에게 고맙다는 메시지를 남겼다. 교수님의 열정만큼 내가 더 열심히 하겠다고 말이다. 곧 답장이 왔다. 무척 짧은 답장이었다. "그래. 그렇게 생각해줘서 고마워." 난 연신 휴대폰을 만지작거렸다. 교수님의 마음을 알 것만 같았다.

무턱대고 글쓰기를 시작했을 때의 일이다. 아무도 알아주지 않는 글을 쓸 때 넌 꼭 잘 될 거라고 말해주었던 친구가 있었다. 그때 나도 모르게 그 친구에게 이렇게 말했던 것 같다. "그렇게 생각해줘서 참 고맙다." 그 말을 해본 사람은 안다. 그 말이 어떤 의미가 있는지 그리고 "그래. 고맙다."라는 말보다 더 큰 울림이 있다는 사실을. 정말 고마운 사람과 나누는 대화란 바로 이런 게 아닐까.

❝

정말 고맙습니다.

❝

그래 그렇게 생각해줘서 고마워.

하늘을 날고 싶었던 소년

어릴 때 난 손에 500원만 있으면 *방방을 타러 갔다. 방방을 타면 하늘을 훨훨 나는 것 같았다. 방방은 10살 소년인 나에게 꿈을 실어 주었다. "언젠가 어른이 되면 저 푸르른 하늘을 자유롭게 날아야지." 함께 이뤄보자고 다짐했던 아이들도 여럿 있었다. 지금은 얼굴도 잘 기억나지 않지만 함께 새끼손가락을 걸었던 기억은 여전히 생생하다.

*방방 : 점프 뛰는 놀이기구인 트램펄린을 말하며 지역마다 부르는 이름이 다양하다.

어느덧 스물세 살 대학생이 되었다. 오전 강의가 있는 날 아침, 사정없이 울려대는 알람 소리에 화들짝 깼다. 일어나기 싫어 소리를 질렀다. 부스스한 눈으로 창문을 열었다. 구름 한 점 없는 하늘이 눈앞에 펼쳐졌다. 불현듯 하늘을 날아갈 거라던 그 시절이 떠올랐다. 피식 웃음이 나왔고 이내 씁쓸했다. 마냥 싱글벙글했던 그때와는 다른 웃음이었다. 나는 꿈을 이루지 못했다. 한숨을 푹 쉬었다.

학교 가는 버스를 기다리며 생각했다. 하늘을 나는 것이 가능할까. 애초에 불가능하다. 누가 들으면 이적의 〈하늘을 달리다〉라도 부르지 그러냐고 비웃을 게 뻔하다.

나와 달리 죽는 순간까지 하늘을 나는 꿈을 꾸었던 사람이 있었다. 우주 비행의 아버지라고 불리는 치올콥스키(1857-1935)다. 그는 어렸을 적에 쥘 베른이 쓴 공상 과학 소설을 읽으며 생각했다. '어른이 되면 꼭 하늘을 날아 달에 가보는 거야.'

어느 날 그의 선생님이 물었다. "여러분의 꿈은 무엇인가요?" 치올콥스키는 말했다. "선생님 저는 하늘에 있는 달에 가고 싶어요." 친구들은 무슨 말도 안 되는 소리를 하느냐고 깔깔 웃었다.

결코 포기하지 않았던 그는 우주로 가는 핵심적인 열쇠가 된 로켓 방정식을 남겼다. 그의 발견 덕분에 1969년 닐 암스트롱을 태운 아폴로 11호가 달로 향했다. 꿈을 꼭 이룰 필요는 없다. 꿈을 꾸는 것의 진정한 의미는 바라는 일 그 자체다. 비록 달을 밟진 못했어도 그는 진짜 꿈을 꾸었던 소년이었다.

함께 하늘을 날아보자 약속했던 친구들은 무엇을 하고 있을까. 현실을 살아가기 급급해 꿈을 잃어버린 채 살고 있겠지. 하늘을 날고 싶다는 망상은 버리고 취업을 위한 계획을 어떻게 세울지 궁리하는 것이 더 나을 거라. 다시 너희들을 만날 수 있다면 손을 잡고 이렇게 말하고 싶다. 비록 지금 당장 하늘을 날 수는 없어도 우리의 꿈만큼은 꼭 쥐고 살아가자고 말이다.

"부우우웅." 학교를 향하는 버스가 내 앞에 멈췄다. "삑- 환승입니다." 어린 시절에서 청년으로 환승. 버스가 광화문을 지날 때 즈음 버스 기사 아저씨 어깨너머로 푸르른 하늘이 펼쳐졌다. 조용히 눈을 감고 소원을 빌었다. 비록 진짜 하늘을 날진 못해도 매 순간 꿈꾸는 일상이 되기를. 따사로운 아침 햇살을 맞으며 버스 창가에 기댔다. 파란 하늘을 가로지르며 달려가는 버스. 어느새 흐뭇한 미소가 번지고 있었다.

오늘 당신의 아침은 어땠을까

❝

멍한 자취방에서 일어나 보니

창밖은 어두워져 소나기가 내리고.

　　장범준 〈일산으로〉의 구절이다. 혼자 타지에서 사는 학생들은 이 짧은 문장에 공감한다. 혼자 사는 자취방과 기숙사는 늘 마음의 비가 내리는 곳이다. 어두컴컴한 방문을 열 때. 냉장고에 있는 반찬이라곤 잔뜩 쉬어버린 김치와 어제 먹다 남은 치킨 몇 조각이 전부일 때. 끙끙 아플 때. 잠이 덜 깬 눈으로 마주했던 따뜻한 아침밥이 그리워질 때 집이 그립다. 집은 어떤 특정한 장소가 아니다.

자취방이나 기숙사가 집이 될 수 없는 이유는 날 반겨주는 이가
없기 때문이다.

재윤이는 일주일에 한 번씩 부모님을 볼 수 있어서 진짜 좋겠다
는 말을 들었다. 가슴이 뜨끔했다. 내겐 너무 당연했던 일상이 누
군가에겐 절실한 희망이었다. 난 낯선 타지에서 온 이들을 생각하
며 기도했다. 부디 그들에게 조그마한 위로가 될 수 있기를. 이런
저런 생각을 하다 깜박 잠이 들었다.

———— ✍ ————

어느새 날이 밝았다. 오늘 당신의 아침은 어땠을까. 오늘만큼은
창밖이 눈부시도록 따스한 햇살이 가득하길 바랐다.

우리 마음엔 폭우가 내려야 한다

"

사람이 온다는 건 실은 어마어마한 일이다. 한
사람의 일생이 오기 때문이다.

정현종 시인의 방문객이란 시다. 난 이 시의 단어 몇 개를 고쳐
보았다. "사람에게 다가가는 건 실은 어마어마한 일이다. 그 사람
의 우주로 들어가기 때문이다." 사람과 대화를 나눈다는 건 마음의
문을 두드리는 일이다. 문이 활짝 열리면 우주가 펼쳐졌다. 그 사
람만의 세계. 헤아릴 수 없는 무한대의 우주가.

몇 달간 사람들의 문을 두드리는 일이 잦았다. 많은 사람의 눈
을 맞추며 대화를 나누었다. 난 주로 해가 질 무렵인 오후 7시~9
시 사이에 사람을 방문했다. 장소는 어디든 개의치 않았다. 도서관

같은 공공장소나 시끌벅적한 길거리 같은 곳을 제외하면 말이다. 사람을 알아가는 것과 음료의 양은 반비례 관계였다. 반비례란 두 변수 x, y에서 x가 2배, 3배, 4배로 변함에 따라 y가 각각 1/2배, 1/3배, 1/4배로 변하는 관계를 말한다. 음료가 줄면 줄수록 그 사람의 우주는 내 마음에 점점 채워졌다. 앞으로 우린 몇 잔의 음료를 마시게 될까. 두 잔, 그리고 세잔이 넘어갈수록 난 당신으로 가득 채워질 테다.

"처음 알파벳을 배운 아이처럼, 나는 당신을 한 글자씩 배우기 시작했습니다."[1] 작가 하현의 말이다. 문득 당신의 문장이 부정적인 언어로 가득 채워졌음을 발견했다. "힘들다, 외롭다, 버티기 힘들다. 울고 있다. 공허하다." 가슴 아픈 동사들은 불씨가 되어 당신의 마음에 활활 불을 지폈다. 당신은 꺼지지 않는 불 앞에 주저앉아 괴로워했다. 화마에 갇힌 당신의 우주를 경험하고 난 뒤 사색에 잠겼다. 난 무엇을 할 수 있을까.

창밖에 폭우가 쏟아진다. 요란한 굉음을 내며 하늘이 땅을 두드린다. 땅은 하늘 덕분에 온몸 구석구석을 씻는다. 이곳저곳에 버려졌던 쓰레기들은 빗물에 씻겨 내려간다. 사람의 마음에도 부정적인 감정이란 불을 꺼트릴 폭우가 필요하다. 불길이 휩쓸고 지나간 자리엔 검게 그을린 재가 남겠지. 그래도 난 그 재가 거름이 되어 꽃잎이 피어나길 바란다.

내가 방문객이 되는 이유는

당신의 불을 꺼트릴 굵은 빗방울이 되고 싶어서.

마음이 흐르는 대로

우린 내일의 행복을 위해 얼마나 많은 오늘을 버리고 있는가. 오늘의 시간은 내일보다 가치 있을 수 없다.

웹툰 《바른 연애 길잡이》의 정바름처럼 계획대로 살지 못하면 좀이 쑤셨다. 내 삶은 계획표 한 장으로 결정된다. 오늘 30개의 수학 문제를 꼬박 풀어야 한다. 토익 단어는 일주일에 10번을 봐야 한다. 《빨강머리 앤》은 하루에 이십 페이지씩 읽어야 한다. 나 태해져선 안 돼. 너의 계획표에 그리하라고 적혀있으니까. 계획을 억지로 지키다 보니 삶이 재미없었다. 월요일에 해야 할 일은 화요일로 미루고 수요일로 미뤘다. 토요일엔 밀린 일을 끝내기 급급했다.

여태껏 내일로 미루는 삶을 살았다. 하지만 계획대로 살기보다 오늘을 살아야지. 각본대로 살던 인생에서 이젠 마음이 흐르는 대로 사는 인생이다. 이젠 계획 따위 없다. 대신 백지에 오늘 했던 일을 빠짐없이 채우기로 했다. 밀린 일을 걱정하기보다 오늘 하루를 얼마나 가치 있게 채울지 고민했다. 오전엔 운동을 나가볼까. 책이 잘 읽히니 카페에서 《셰익스피어의 희곡》을 모두 다 읽어야지. 밤엔 토익 단어를 보다가 잠드는 거다.

　계획 없이 살아도 괜찮다. 그저 네 마음이 흐르는 대로 살아갈 수 있기를. 하루에 얽매이기보다 하루를 보내는데 자유로워질 수 있길 바라며.

넌 잘 지내고 있을까

소설 《빨강머리 앤》의 앤은 고등학교 입시 문제로 2주 동안 다이애나 곁을 떠나야 했다. 그때 다이애나는 애원하듯 앤에게 말한다.

"난 혼자 앉아야 할 거야. 너 말고 짝은 도저히 상상할 수가 없어. 아 그동안 정말 즐거웠는데, 그렇지 앤? 좋은 시절이 이제 다 갔다고 생각하니 미칠 것만 같아."[2]

다이애나를 보며 반 편성을 걱정하던 여학생 J가 생각났다. J에겐 단짝인 세 명의 친구들이 있다. J는 매해 반 편성 때마다 한 명이라도 같은 반이 되게 해달라고 기도한다. 친구들과 떨어지는 일이 그렇게 두려우냐고 물으니 "아! 몰라요!"라며 고갤 흔든다.

학생들에게 단짝은 자기 전부나 다름없다. 어른이 보기엔 별거 없어 보여도 그들에겐 목숨이 달렸다. 새 학기에 모르는 친구와 앉아야 하는 것. 단짝과 학교에서 디엠으로만 대화해야 한다는 것. 자신의 최애를 함께 이야기할 친구가 없다는 사실 말이다.

2주 동안 앤과 떨어져 있어야 한다는 사실에 야단법석인 다이애나. 내년에 있을 반 편성에 단짝과 떨어질까 두려워 호들갑 떠는 J. 문득 학창 시절 친구들이 생각났다. 졸업 준비에 급급하다며 살기 바쁘다며 연락 한번 해보질 않아서. 그들과 떨어져 지낸 지 자그마치 6년이다. 다이애나처럼 눈물을 글썽일 수는 없어도 안부 인사 정도는 할 수 있지 않을까. 그렇다고 갑작스레 카톡으로 연락하긴 부끄러워 글로 잘 지내냐고 물어본다. 난 잘 살아. 넌 별일 없겠지?

누군가에게 뒷말을 들었을 때

베네치아의 장군인 오셀로는 흑인이다. 그는 유능했지만, 흑인이란 열등감이 있었다. 그에겐 카시오와 이아고라는 부하가 있다. 이아고는 카시오를 먼저 승진시킨 오셀로에게 불만을 품었고 카시오를 끌어내리기로 결심한다. 그는 *데스데모나의 시녀이자 자신의 아내인 에밀리아를 통해 데스데모나의 손수건을 얻는다.

*데스데모나 : 오셀로의 아내

에밀리아: 그녀가 바닥에 떨어뜨린 걸 내가 운 좋게 주웠죠. 여기 봐요.

이아고: 잘됐다. 어서 이리 줘.

에밀리아: 이걸 대체 어디에 쓰려고 그토록 애가 타서 슬쩍 해오라고 조른 거죠?3)

    그는 오셀로에게 데스데모나가 카시오와 바람을 피웠다고 거짓말한다. 오셀로는 그의 말을 믿지 않았지만 자신이 아내에게 준 손수건이 카시오에게 있다는 말을 듣고 혼란에 빠진다.

이아고: 혹시 부인에게서 딸기 무늬가 있는 손수건을 보신 적이 있습니까?

오셀로: 내가 아내에게 첫 번째 선물로 준 것이지.

이아고: 그 사실은 전혀 몰랐지만, 부인 것이 분명한 그 손수건으로 카시오가 수염을 닦고 있는 걸 봤습니다.4)

    이아고는 카시오의 집 근처에 몰래 손수건을 떨어트렸고 카시오는 덫에 걸려든다. 오셀로는 이아고의 말만 믿고 망상에 빠진다. 카시오를 불러 사실인지 확인해야 하는데 그러질 못했다. 침착하게 아내의 말을 듣지 못했고 손수건을 가져오라는 말만 되풀이한다.

오셀로: 손수건이나 갖고 와요. 왠지 불안하군.

데스데모나: 아이 참!

오셀로: 손수건!

데스데모나: 카시오 얘기나 해보시라니까요.

오셀로: 손수건!!

데스데모나: 오랫동안 당신의 사랑으로 당신과 위험을 나누었던…….

오셀로: 손수건!!!5)

오셀로는 끝내 데스데모나의 목을 졸라 죽인다. 그 후 이 모든 것이 이아고의 계략임을 알게 된 오셀로는 칼로 자신의 목을 찌른 뒤 데스데모나 시체 위에 엎어진다. 오셀로가 이아고의 뒷말만 믿고 사실을 확인하지 않은 까닭이다.

오셀로의 태도를 통해 삶을 바라본다. 누군가에게 뒷말을 들었을 때 우린 어떤 태도를 보일까. 그 사람의 말을 전적으로 신뢰하겠는가. 아니면 그 말의 사실 여부를 따지겠는가. 난 그것이 설령 나와 관련된 것일지라도 믿질 않는다. 이유는 간단하다. 내가 직접 보고 경험하지 않았기 때문이다.

우린 다양한 사람들의 말을 들으며 살아간다. 모든 말은 주관적일 수밖에 없다. 누가 무엇을 어떻게 바라보는가에 따라 사건은 달라진다. 언론을 보아도 그렇지 않던가. 극단적인 예시이긴 하지만

한 공무원이 불법으로 운영하던 포장마차를 강제로 철거했다고 가정하자. 어느 신문사는 "공권력에 의해 탄압된 시민. 이들에게 국가란 어디 있는가?"로 또 다른 신문사는 "20년째 골목을 가로막는 시민들의 불편함을 해소. 불법 상권을 뿌리 뽑자."라고 보도할 수 있다. 사건 하나를 보도하더라도 이렇게 다른데 우리의 삶은 오죽할까.

———————— ✗ ————————

간교한 뒷말에 넘어가면 객관성을 잃는다. 의심이란 작은 불씨가 재앙을 일으키면 걷잡을 수 없다. 부디 이아고 같은 사람의 말에 넘어가는 사람이 없길 바란다. 오셀로처럼 소중한 사람을 잃고 싶지 않다면 말이다.

스쳐 가는 인연이었나요

혜성은 일정한 주기로 태양을 지나는 주기혜성과 다신 돌아오지 않는 비주기혜성으로 나뉜다. 모든 만남이 지속적이고 깊은 관계를 맺는 건 아니다. 주기혜성처럼 소중한 인연이 있다면 비주기혜성처럼 스쳐 간 인연도 있다. 스쳐 간 인연은 미련 없이 흘려보낼 줄 알아야 한다. 그렇지 않으면 사무친 그리움으로 남아버린다.

마음이 모래사장이라면 어떨까. 모래 속에 기억을 묻는다면 그리움은 마음 깊은 곳 여기저기에 퍼져있다. 그리움을 떨쳐 내기 쉽지 않다. 모래 표면에 있다면 파도에 떠내려갈 수 라도 있을 텐데. 그리움은 가끔 마음을 괴롭게 하는 지진을 일으킨다.

———— ✍ ————

밀물이 오고 썰물이 가듯 만남과 헤어짐은 끊임없이 반복된다. 스쳐 간 인연은 파도에 실어 멀리 떠나보내길. "스쳐 가는 인연이었겠지."라고 말하며 스스로 토닥토닥 다독였으면 좋겠다.

행복은 마음먹기 나름이다

무려 370만 명의 마음을 치유한 심리상담가 고코로야 진노스케는 행복이란 특별한 조건을 만족시키는 것에 달려 있는 것이 아니라고 말한다. 지금 내가 그토록 바라던 것을 얻으면 행복해질까? 그는 행복에 조건을 거는 사람들을 향해 "영원히 당신의 행복에는 조건이 붙게 될 것."[6]이라고 말한다.

행복은 자신이 원하는 것을 얻은 상태도 싫어하는 것이 없는 상태도 아니다. 행복은 "내 모습 그대로 나는 행복하다"라고 믿는데서 시작된다. 이 간단한 방법은 우리에게 상황을 긍정적으로 바라보는 힘과 용기를 준다.

그가 저술한 《이제부터 민폐 좀 끼치고 살겠습니다》는 행복해질 수 있는 몇 가지 방법을 소개한다. 그 중 마음을 사로잡은 것이 '어차피'와 '역시'의 법칙이다.

이 세상은 '어차피'라고 마음먹기 시작하면 '역시'를 확인하게 되는 구조로 이루어져 있다. '어차피 내 이야기는 재미없어'라고 생각하면 '역시' 그런 일이 일어난다. 예를 들어 상대가 내가 하는 말에 맞장구를 치며 웃고 있어도 '사실 재미없다고 속으로 생각하지 않을까?'라고 의심한다. 누군가가 '아니야, 재미있어'라고 말하면서 문득 스마트폰을 보면 '역시 내가 재미없다고 느끼는 거지?'라고 또 생각한다.[7]

이와 달리 내 이야기가 재미있다고 생각하면 아까와는 180도 다른 현실을 마주한다.

사실, 내 이야기는 재미있다. 사실, 모두가 나에게 흥미를 느낀다. 매일 거울을 보며 이렇게 소리 내어 말했다. 그랬더니 현실이 달라졌다. 어느 날, 모두가 시끄럽게 떠드는 자리에서 내가 말을 시작하니 역시나 조용해졌다. 그런데 그 조용함은 내 이야기가 재미없기 때문이 아니라, 내 말을 귀 기울여 듣고 있기 때문이다. 내가 농담을 하면 크게 웃었고 그 자리의 모든 사람이 즐거워 보였다. 말하는 방법을 바꾼 것도 아니고 뭔가 다른 일을 한 것도 아니다. 그저 머릿속의 생각을 바꾸었을 뿐이다.[8]

삶은 내가 어떻게 생각하는지에 따라 180도 변한다. "어차피 생각대로 되지 않을 거야. 역시 생각지도 못했던 일이 일어났구나!" 어떻게 읽히는가. 당혹스러운 소식이 찾아왔을까. 뜻밖의 기쁜 소식이 찾아왔을까.

지금 많이 아파도 괜찮아

식당에서 게를 씹어 먹다 이런 생각이 들었다. '이 녀석도 새끼였던 시절이 있었을 텐데. 그땐 이렇게 큰 집게발을 가질 만큼 크지 않았겠지.' 게는 어떻게 성장을 할까? 게는 허물을 벗으며 자란다. 허물을 벗어야만 위풍당당한 집게발을 가질 수 있다. 물론 지금은 국물 속에 빠진 반찬 신세이지만.

게는 허물을 벗기 직전에 큰 고통을 느낀다. 마치 우리가 몸에 맞지도 않는 청바지를 낑낑거리며 입는 모습과 같다. 허물을 벗은 게는 연약하다. 자신의 하얀 속살을 밖으로 다 드러냈기 때문이다. 천적은 바로 이때를 노린다. 그렇기에 허물 벗은 게는 안전한 곳에 숨어 지내야 한다. 자칫하다 잡아먹히면 어휴 큰일이다. 그렇다고 허물을 벗지 않는다면 영원히 작은 집게발을 가진 채로 살아야 할 테다.

우리도 허물을 벗어야 한다. 연약한 내 모습을 외면하는 일은 무척 흔하다. 대표적으로 공부할 때다. 오답을 인정하지 않는다. '이건 아는 문제였는데, 실수로 틀린 거야. 다시 풀면 맞을 수 있어.'라며 동그라미를 친다. 연약한 모습을 마주하기 두려워 내가 잘 알고 자신 있는 부분 위주로 공부하며 '그래 난 무척 잘하고 있어.'라고 위로한다.

———— 🖋 ————

연약한 모습을 마주하기란 쉽지 않다. 아프고 힘든 일이지만 밖으로 드러내야만 내 몸을 지킬 집게발을 가질 테다. 그러니 지금 많이 아파도 괜찮다. 괜찮을 것이다.

같이 걸을까

이 세상에서는 혼자 빨리가는 것보다

당신과 함께 멀리 가는 편이 낫겠습니다.

봄맞이꽃처럼 느린 걸음으로

4월에는 봄꽃들의 잔치가 열린다. 꽃들은 흐드러지게 피어올라 무채색의 동산을 형형색색으로 물들인다. 꽃들이 하나, 둘 지기 시작할 때 즈음 비로소 향기를 품어내는 꽃이 있다. 하얀 꽃잎이 자그맣고 흩뿌린 매화를 닮았다고 해서 점지매라고 불리는 봄맞이꽃이다.

김승기 시인은 봄맞이꽃을 두고 이렇게 말했다. "봄이 끝날 즘에서야 꽃을 피우는 게으른 것이 어쩜 이리도 과분한 이름이 있을까." 너는 기대와 달리 봄의 끝자락을 장식했다. 앞다투어 피어나는 꽃들과 때를 다투지 않았다.

《엄마의 자존감 공부》의 저자 김미경 원장의 말에 따르면 사람은 ~때는 ~을 해야 한다는 사회적 알람이 있다고 한다. 대학은 스무 살에 꼭 가야 하고 군대는 졸업하기 전에 미리 다녀와야지. 적어도 이십 대 중반에 졸업하고 취직을 해야 한다고 말이다.

올해 스물여섯 여전히 난 대학생이다. 주변 친구들은 인턴을 하며 스펙을 쌓고 취업에 성공했다. 직장을 다니며 바쁘게 살아가는 친구들을 보고 있자면 아직도 용돈을 받고 사는 내가 한심해 보였다. 남들보다 뒤처질까 두려워 조바심이 났다. 졸업 시험에 떨어져 남들보다 늦게 졸업할 거란 두려움. 좋은 학점을 받지 못해 취업에 실패할 거란 두려움. 머릿속을 맴도는 온갖 나쁜 상상들이 파도가 되어 날 덮쳤고 난 이리저리 허우적댔다.

봄맞이꽃을 보며 생각했다. 꽃이 피는 시기가 다르듯 우리의 삶도 분명 그럴 거라고. 모두 각자의 봄을 맞이할 시기가 있다는 사실을 왜 난 몰랐던 걸까. 꽃의 종류는 이토록 다양한데 말이다.

난 나만의 봄을 기대하며 기다릴 것이다. 꽃이 피려면 열심히 물을 먹고 햇빛을 받아야 하듯이 삶에도 정성스러운 물과 풍족한 거름이 필요하다. 당장 취직하진 못해도 열심히 공부하며 꿈을 꾸는 것. 남들의 시선을 의식하지 않고 꿋꿋이 살아가는 것. 그럼 봄맞이꽃처럼 늦어도 때가 이르러 반드시 피어오르리.

2장

슬픔이 우리에게 다가올 때

아빠가 시집가는 딸에게

정약용은 정조대왕의 총애를 한 몸에 받을 만큼 뛰어났지만 이로 인해 당시 집권층이었던 노론에게 미움을 받았다. 그의 몰락은 정조대왕의 갑작스러운 죽음과 함께 찾아왔다. 1801년 노론 세력은 정약용이 천주교를 믿는다는 것을 빌미로 그를 남쪽 땅 강진으로 유배 보냈다. 그는 가족들을 고향에 남겨둔 채 멀리 떠나야 했다. 그날은 하나뿐인 딸이 고작 8살이 되었을 무렵이었다. 참으로 애틋했던 추운 겨울날. 어린 딸을 남겨두고 영영 멀리 떠나는 날.

강진으로 유배 온 지 어느덧 13년이 흘렀다. 얼마 전, 고향으로부터 한 통의 편지와 아내의 낡은 치맛자락을 받았다. 부인이 시집 오며 입었던 붉은 치마였는데 세월이 흘러 누렇게 변해 있었다. 몸이 아파 누운 아내가 남편을 그리워하며 보낸 것이다. 편지엔 딸이 시집을 간다는 내용이 적혀있었다.

8살이었던 딸은 어느덧 21살이 되었다. 믿기지 않았다. 지금이라도 고향으로 달려가면 강아지처럼 쪼르르 달려와서 안길 것만 같았다. 약과를 달라고 하염없이 보채고 조르던 귀여운 딸이 이제 부모 곁을 떠나 시집을 가다니. 딸의 시집가는 모습조차 볼 수 없다는 사실이 그를 먹먹하게 했다.

그는 붓을 꺼내어 아내의 치맛자락 위에 그림을 그렸다. 하얀 꽃망울 가득한 매화 가지 위에 두 마리 새가 정겹게 앉은 모습이었다. 그리고 그림 옆에 시를 적었다.

펄펄 나는 저 새가

내 뜰 매화에 쉬네

꽃다운 향기 매워

기꺼이 찾아왔지

머물러 지내면서

집안을 즐겁게 하렴

꽃이 활짝 피었으니

열매도 많겠구나

좋은 모습으로 찾아가 딸의 고운 손을 잡고 싶었지만 사이좋은 멥새 두 마리와 하얀 꽃망울이 맺힌 매화들이 그의 빈자리를 대신했다. 부부가 다툴 때면 애교를 부려 웃음이 나오게 하고 같이 구슬 놀이를 하자고 조르던 귀여운 딸이었다. 하지만 이젠 저 멀리 시집을 가버려 만날 수 없었다. 딸을 향한 아버지의 애틋한 마음이 그림 한 장에 스며들었다. 그림은 슬픈 낭만이 되어 딸에게 찾아갔다. 멥새 두 마리 그리고 하얀 매화꽃나무 하나. 딸은 어머니의 치맛자락을 부여잡고 한참을 울었을 것이다.

"

꽃이 활짝 피었으니 열매도 많을 거란 바람.

"

아빠가 시집가는 딸에게 보내는 슬픈 낭만이다.

감기에 걸려버렸어요

추운 겨울날
아이였을 땐 밖에서 마음껏 뛰어놀아도
감기에 걸리질 않았어요

그런데
요새 들어 왜 이렇게 몸이 으슬으슬한지
훌쩍거리고 열이 떨어지질 않네요

내 마음에 차가운 비가 내려서 그런가 봐요
성긴 빗방울에 흠뻑 젖어 길마저 흐려오네요
아마 마음이 아프면 몸도 같이 아픈가 봐
난 감기에 걸려버렸어요

비를 그치게 해 줄 사람은 어디 있을까
마음에 무지개를 그려줄 사람이 있다면
이 감기가 나을 수 있을 텐데

군부대에 돌아오는 길

첫 휴가를 나오고 악동뮤지션 〈집에 돌아오는 길〉이란 노랠 들으며 군부대에 복귀했다. 그때 썼던 시다.

서글픈 가로등이 줄지어 나를 반기고
굽이진 산맥들이 막장에 갇힌 듯 나를 조여와
괜히 돌 하나를 무심한 듯 툭툭 차며 걸어가
그렇게 꽁꽁 언 흙길을 따라 걷다 보면
익숙한 산 공기 걸걸대는 개 짖는 소리
뼛속까지 시린 바람이 불어올 때
내 마음이 삐걱대듯 멍든 대문도 삐걱거려

차가운 바람에 흐트러진 군복을 부여잡고
한숨을 푹 쉰 채 고개를 떨궜지
멀리서 흐르는 구수한 된장찌개 냄새
군부대 앞 오르막길은 고요하고 정적이 가득한데
이 마을은 웃음이 가득하네

차갑게 흐트러진 마음을 애써 부여잡고
오르막길 중간에 멈춰 섰지
고갤 들어 밤하늘을 보았어
수많은 별을 헤치고 보인 달이 참 크고 밝아서
보고 싶은 사람들을 그려봤어
정겨운 고향 냄새와 부스스 맞이한 아침밥
어머니의 잔소리가 들리는듯해

눈앞의 세상이 흐려져
내가 그려낸 따뜻한 아침밥에서 나온 뿌연 김 때문일까
눈물 때문일까

카레

열두 살이 되었을 무렵, 무더운 여름방학이 찾아와 교회 식구들과 어디론가 향했다. 향긋한 풀내음과 시원한 산바람이 불어오는 곳. 그곳에서 항상 나오는 메뉴가 있었다. 고소한 카레다. 당근, 감자, 브로콜리 등을 양껏 썰어 냄비에 넣는다. 노르스름한 가루를 붓고 물을 뒤섞은 뒤 팔팔 끓인다. 30분 정도 흐르면 산바람을 타고 흘러온 고소한 냄새가 아이들의 코를 적신다. 나와 친구들은 먼저 카레를 먹겠다고 앞다투어 냄비 앞으로 뛰어갔다. 매일 먹어도 질리지 않았다. 난 아직도 그때 그 카레를 추억한다.

난 차가운 총 한 자루를 쥐었다. 군인 12명을 실은 5톤 트럭은 북한 DMZ로부터 고작 1km 떨어진 곳으로 달렸다. 칼날 같은 산바람이 얼굴을 스쳤다. 발가락이 얼 것만 같은 땅을 디뎠다. 정신을 차릴 수가 없었다. 어렸을 적 경험했던 산속과 너무 다른 모습이었다. 그때 차가운 바람을 타고 익숙한 냄새가 흘러 왔다. 카레 냄새였다. 취사병이 있는 곳으로 달려갔다. 비닐봉지를 탈탈 털어 공간을 확보한 뒤. 하얀 쌀밥을 봉지에 털털 넣었다. 반합에 카레를 푹 담아 비닐봉지 안에 그득 부었다. 비닐을 묶어 빠져나올 수 없게 한 뒤 뜨거운 카레를 이리저리 뒤섞었다. 짜게 주머니처럼 다른 한쪽에 구멍을 뚫었다. 뜨뜻한 카레를 손난로 삼아 차디찬 손을 녹였다. 꾀죄죄한 손으로 뒤섞인 밥을 힘겹게 입으로 밀어 넣었다.

———— ♭ ————

카레를 먹었다. 맛이 슬펐다. 추억을 향한 그리움이 카레의 맛을 뒤바꿨다. 묵묵히 뜨뜻한 걸 구겨 넣었다. 그는 침묵했다.

소꿉놀이하다 잠들면

일곱 살 때 일이야
난 거실에서
형형색색의 장난감을 깔아두고
소꿉놀이하곤 했어
장난감 속에 파묻혀 있던 게 어찌나 좋던지
밤에도 졸음을 꾹 참으며 놀곤 했어

거실 바닥에 누워 스르륵 잠이 들면
아버지는 조용히 날 들어 방까지 걸어가
침대에 살며시 누이고 포근한 이불을 덮어주었지

아버지가 날 들어주면
잠에서 깼지만 그냥 자는 척했어
아 내가 정말 사랑받고 있구나
이 순간이 영원했으면 좋겠다고 느꼈으니까

어느덧 군대에 입대했고
1년 9개월이란 군 생활 끝에
아버지를 보게 되었지
내 새끼 한 번만 안아 보자 하네
난 아버지를 꾹 끌어 안았어
그리고 화들짝 놀라고 말았지
어깨가 이리도 작았었나
몸은 또 왜 이렇게 마르셨지
어렸을 적엔 날 번쩍 들어주셨는데
이젠 내가 너무나도 많이 커버렸구나

난 아버지의 등을 토닥토닥 두드릴 뿐이었다.

복학생

학교 수업이 끝나면

모두 싱글벙글 웃으며 무리를 지어 나간다

함께 밥을 먹거나 커피를 마시겠지

나는 도대체 어디로 가야 할까

어디에서 밥을 먹어야 하고 어디에서 쉬어야 하나

날씨는 왜 또 화창한 거야

두둥실 흘러가는 흰 구름마저 야속하다

세상인 하늘을

흰 구름 되어 흘러가고 싶은데

난 기름방울이 되었고

세상은 물이 되어

섞이고 싶어도 섞일 수가 없구나

지나치다

내 생각이 지나치면
다른 사람의 생각을 지나친다.

왜 나는 너를 미워하는가

대화란 들음에서부터 난다. 그러나 꼭 자기 이야기만 하는 사람이 있다. 너랑 이야기하느니 차라리 벽을 보고 하소연이나 하고 말지.

눈치 없는 사람이 싫다. 분명 상대방에게 해야 할 행동과 하지 말아야 할 행동이 있다. 어쩜 그리 하지 말아야 할 행동은 수박씨 발라 먹듯이 잘하는지 모르겠다. 다른 사람에게 상처 입히는 말도 잘한다. "아 왜 그래? 방금 했던 말은 농담이라니까?"라고 말한다. 농담은 무슨. 뇌에 우동 사리만 가득 차 있는 녀석 같으니라고. 가만히 있으면 반이라도 간다는 말은 이런 사람을 보고 하는 말일 테다.

말과 행동이 다른 사람이 싫다. 꼭 일찍 오겠다고 해놓고서 매일같이 늦는다. 날 보며 믿을만한 사람이라 말해놓고선 뒷이야기를 한다. 대화할 때 내 이야기가 재미있다고 말하면서 눈동자에 초점이 풀린 모습을 봤다. 진실되지 못한 사람들. 피노키오처럼 거짓말할 때마다 코가 길어지면 정신을 차릴까.

그래서 나 자신이 미울 때가 있다. 내 안에 싫어하는 사람들의 모습이 있었기 때문이다. 나도 내 말만 할 때가 있다. 눈치가 없다는 말도 많이 들었다. 심지어 말과 행동이 달랐던 적도 있었다.

왜 나는 너를 미워하는가. 정답은 바로 내게 있다. 타인을 향한 혐오는 모두 나로부터 시작된다. 누군가를 미워할 때 나를 먼저 돌아본다. 나는 어떨 때 저런 행동을 하는지. 행여나 저런 모습이 내 안에 있지 않은지, 돌아본다. 내 속엔 내가 너무 많다는 조성모의 '가시나무' 노랫말처럼 가시밭길처럼 아픈 내 마음이다. 남을 죽도록 미워하기보다 내 마음을 먼저 돌이켜보는 건 어떨까.

400만 원의 죗값을 치른 여자

15세 소년 마이클은 갑작스러운 구토 증상으로 길거리 골목에 앉아 헉헉댔다. 그 모습을 본 36살 한나는 마이클을 집으로 데려가 정성스레 간호한다. 고마움을 전하기 위해 그녀의 집에 찾아간 마이클은 그녀와 사랑을 나눈다. 육체적인 사랑을 나눈 후 함께 책을 읽게 된 두 사람. 그들은 책을 통해 정신적인 교감을 나눈다. 한나는 늘 마이클에게 책을 읽어달라고 하지만 자신이 책을 펼쳐 읽지는 않는다. 무슨 꿍꿍이라도 있는 걸까.

나치 밑에서 유대인 수용소의 감시원으로 일했던 그녀는 사무직으로 승진했다. 하지만 글을 쓸 줄도 읽을 줄도 모르는 그녀는 일을 그만둘 수밖에 없었다. 그 사실을 마이클에게 말할 수 없었다. 한나는 이별에 대한 통보도 없이 마이클 곁을 떠난다. 이 일로 마이클은 누구에게도 마음을 열어주지 못한다.

법대생이 된 마이클은 법원 견학을 갔다가 피의자가 된 한나를 본다. 그녀는 자신이 한 행동에 아무런 죄책감도 느끼지 못했다. 가스실로 향하는 유대인들을 봤을 때 기분이 어땠냐고 판사가 묻자 "난 그저 상관의 명령에 복종한 것일 뿐이야"라고 대답했다. 유대인을 가둬 둔 교회에 불이 났음에도 문을 열지 않은 행위를 "난 그저 죄수들의 탈출을 막은 것이라고" 설명한다. 그럴싸한 책임감만 있는 한나를 보며 "악은 무지로부터 나온다는" 《예루살렘의 아이히만》의 문장이 생각났다. 마이클은 무지한 한나를 보며 얼마나 답답했을까. 그녀의 감시원 동료들은 "한나가 유대인 감시 지침서를 만든 사람이다."라고 억울한 누명을 씌운다. 자신이 문맹임을 밝혔다면 적은 형량을 받았을 텐데. 모든 책임을 떠안은 그녀는 결국 무기징역을 선고받는다.

무지한 한나를 일깨워주기 위해서였을까. 아니면 문맹인 사실을 부끄러워하는 그녀가 안타까웠던 것일까. 마이클은 매일 한나에게 책을 녹음한 테이프를 보낸다. 그의 행동은 한나로 하여금 15살 마이클을 떠올리게 함과 동시에 법원에서의 수치를 기억한다는 메시지였다.

한나는 녹음테이프를 따라 읽으며 글을 배우고자 발버둥 친다. 아직도 한나가 "The…"라고 중얼대며 책의 The에 모조리 동그라미를 치는 모습이 생생하다.

20년 뒤 한나는 머리가 하얗게 새어버린 채로 가석방된다. 둘은 20년 만에 재회한다. 하지만 마이클은 "아우슈비츠에서 일했을 때 기분은 어떤가?"라고 묻는다. 조금만 더 따뜻했다면 좋았을 것을. 그의 냉랭한 태도에 충격을 받은 그녀는 결국 자살을 택한다.

나치 밑에서 일한 한나의 선택은 무지에서 비롯된 결과다. 글을 모르면 옳고 그름을 구별할 수 없다. 글을 배운 한나는 비로소 자신이 한 행동을 뉘우친다. 그녀는 자신의 전 재산 7000마르크(약 400만 원)를 아우슈비츠에서 생존한 소녀에게 전달해달라는 유서를 마이클에게 남긴다. 그는 글자가 덕지덕지 붙여져 있는 그녀의 수감실을 살핀다. 그리고 그녀의 유서를 부여잡고 끅끅거렸다.

———— ✦ ————

한나에게 글을 배운다는 것은 어떤 의미였을까. 15살의 마이클과 정신적인 교감을 나눴던 수단이자 자신의 무지를 깨우칠 수 있는 유일한 방법이었다. 한나가 글을 조금만 더 일찍 알았더라면 좋았을 것이다. 그랬다면 마이클과 도란도란 책을 읽으며 같이 늙어갈 수 있지 않았을까.

살기 위해 발버둥 치다

긴 꼬리를 내는 혜성은 밤하늘을 빛낸다. 주변으로 가느다란 실선이 생기고 사라지길 반복한다. 혜성의 파편 하나가 붉은빛을 뿜으며 지상으로 낙하했다. 그 충격은 큰 호수를 만들었다. 시간은 흐르고 호수에는 물고기가 헤엄쳤다. 운석의 풍부한 자원은 사람을 모았고 마을 공동체를 이뤘다. 사람들은 이곳을 이토모리 마을이라 불렀다. 시간이 흘러 다시 혜성이 찾아왔다. 별 하나가 떨어졌고 사람이 죽었다. 슬프다는 말로는 다 전하지 못할 만큼 비극적인 대참사. 운 좋게 살아남은 자들은 기억하려 했다. 잊지 않기 위해서. 잊고 싶지 않아서. 사람들은 혜성을 용으로 표현해 숭배했고 실매듭으로 남겼다. 갈라지는 혜성의 모습을 춤으로 표현했다.

우리 또한 이 슬픔을 겪어야 했다. 앞서 본 이야기와 다른 점은 재난(災難)이 아닌 인재(人災)였다는 사실이다. 2014년 4월 16일, 세월호가 침몰했다. 벚꽃 잎은 화려하게 흩날렸고 사람들은 울분을 터트렸다.

배 안의 아이들은 살아있었다. 선장은 가만히 있으라고 지시했다. 아이들은 배를 버린 선장의 말에 순종했다. 배는 바다 깊은 곳으로 가라앉았다. 사람이 죽었다. 팽목항에는 슬픔이 나뒹굴었고 광화문에는 촛불이 들끓었다. 사람들은 말로 헤아릴 수 없는 슬픔을 예술로 표현했다. 가수들은 노래를 불렀고 작가들은 글을 썼다. 엄지만한 노란 리본을 만들었다. 앞서 본 *이야기 또한 세월호의 슬픔으로 영감을 받아 탄생한 이야기다.

* 신카이 마코토의 영화 〈너의 이름은〉

***

늦은 가을, 광화문에 마련된 미수습자 분향소로 발걸음을 옮겼다. 분향소에는 흰 국화꽃들이 줄지어 열을 맞췄다. 아이들 앞에 흰 국화 한 송이를 놓았다. 한걸음 뒤로 물러섰다. 마지막 순간까지 희망을 놓지 않았던 아이들. 그들은 차오르는 물속에서 살기 위해 발버둥을 쳤을 것이다. 숨이 막혔다. 참았던 슬픔이 차오르기 시작했다. 눈을 질끈 감았다. 도저히 견딜 수 없었다. 난 슬픔을 이기지 못하고 자리를 떠날 수밖에 없었다.

하지만 곧 굳게 결심했다. *세상이 이렇게까지 가혹하다면 난 이 슬픔을 가지고 온 힘을 다해 살아갈 것이다. 이 슬픔만으로 계속 발버둥 칠 것이다. 서로 떨어져 있다 해도. 두 번 다시 만날 수 없어도. 나는 살기 위해, 살아가기 위해서 발버둥 칠 것이다.

*신카이 마코토의 영화 〈너의 이름은〉의 원작 소설 제6장에서 영감을 받음

이 말이 메아리가 되어 마음속에 울려 퍼졌다.
가슴 아픈 낭만이었다.

소중한 사람.
잊고 싶지 않은 사람.
잊어서는 안 되는 사람.

떠나간 친구가 남겨준 것

18년도 6월, 고등학교 동창이 죽었다. 엊그제까지 서로 카톡을 주고받았던 친구였는데 난 네 영정 사진 앞에 우두커니 서 있었다.

발인은 다음 날 오전 11시였다. 10시 40분경, 흰색 마스크를 쓴 사람이 나와 친구 3명을 불렀다. 친구가 있는 방은 무척 서늘했다. 시퍼런 싱크대 주변엔 영어가 빼곡히 적힌 약품들이 줄지어 있었고 벽면엔 새하얀 옷과 마스크가 걸려있었다. "모시겠습니다." 우린 흰색 장갑을 끼고 관을 힘차게 들었다. 손이 부르르 떨렸다. 관의 무게가 내 가슴을 짓눌렀다.

하늘은 내 마음을 아는 걸까. 친구를 보내러 가는 길. 추적추적 장맛비가 내렸다. 추모공원은 사람의 발길이 닿지 않는 산 깊은 곳에 있었다. 상조 직원들은 생전 처음 보는 기계로 유가족들을 이끌었다. 5m 즈음되는 긴 컨베이어 벨트 위엔 관을 내려놓을 수 있는 공간이 있었다. 벨트 끝엔 사람 허리 높이 즈음되는 알 수 없는 철문이 있었다. 우린 벨트 위에 관을 내려놓았다. 이상한 굉음과 함께 컨베이어 벨트가 철문 쪽으로 돌아갔다. 철문이 열리고 친구를 실은 관이 시커먼 공간으로 빨려 들어갔다. 상조 직원들은 친구를 향해 90도로 몸을 굽혔다. 친구들은 참았던 눈물을 터트렸다.

친구의 마지막 모습을 보기 위해 분향실로 향했다. 유가족들은 분향실 의자에 둘러앉았고 나머지 사람들은 바깥 복도에 서서 분향실을 에워쌌다. 자식을 잃은 부모의 슬픔을 들었다. 어머니는 사람이 낼 수 없을 것만 같은 소리로 울부짖었다. 아버지는 넋을 잃은 채 말했다. "잘 가 아들. 행복해." 떠나는 아들을 향해 힘없이 흔드는 아버지의 손, 들썩이는 어머니의 어깨를 난 더는 바라볼 수 없었다. 입에서 터져 나오는 울음소리는 막을 수 있었지만 흐르는 눈물은 막을 수 없었기 때문이다. 난 후다닥 건물 바깥으로 나갔다. 그제야 이별이 실감 났다.

참 좋은 친구였다. 골목길에서 내 스물두 번째 생일을 함께 해준 친구. 매미 소리를 들으며 농구공을 주고받았던 기억. 10cm의 〈스토커〉를 함께 부르며 말도 안 되는 화음을 맞추던 추억까지. 이제 친구는 내 곁에 없다. 함께 찍은 사진 몇 장과 발인을 도울 때 꼈던 흰색 장갑만이 남아 있을 뿐.

책상 맨 밑 서랍을 열었다. 빛이 닿지 않는 그곳에 친구의 마지막 길을 도왔던 흰색 장갑이 있었다. 오랜만에 꺼내본 장갑의 소매는 노르스름했다. 아마 땀과 눈물이 뒤섞여 말랐을 것이다. 장갑을 보며 생각했다. 네가 보기에 부끄럽지 않은 삶을 살다가 다시 널 마주하기를.

슬픔을 위로하는 슬픔

중학교 졸업여행 첫째 날 밤, 잠들고 싶어도 잠 못 드는 이 밤. 그곳은 야생의 정글과 같았다. 잠이 들면 분명 짓궂은 녀석들의 사냥이 시작될 테니. 그들은 사냥감을 찾아 이리저리 돌아다니다 내 얼굴과 발에 겨자나 치약을 발랐다. 난 잠에서 깨어 어쩔 줄 몰라 하며 화장실로 달려가 허겁지겁 얼굴을 씻었다. 코가 얼얼하고 눈물이 흘렀다. 씩씩 소리 내 봐도 들려오는 건 비웃음 소리일 뿐. "그만해."라는 말조차 할 수 없었다. 그것보다 더한 고통에 시달릴 테니까. 난 꼭꼭 숨고 글썽이는 눈물을 감췄다.

정말 무서운 건 둘째 날이 밝아오고 있다는 사실이었다. 지옥 같은 밤이 다시 찾아온다. 난 두려움에 벌벌 떨었다. 제주도 성산 일출봉 앞에서 점프하고 뛰놀며 장난치는 친구들이 부러웠다. 깔깔 웃는 너희들처럼 걱정 없이 살고 싶었다. 다가오는 오늘 밤조차 두려운 나는 어디에 기대야 할까. 엄마에게 떼를 쓰는 어린아이처럼 주저앉아 펑펑 울고 싶었다.

***

2011년 제주에서의 밤. 누군가 내게 그때의 감정을 좌표평면에 그리라고 한다면 한없이 내려가는 그래프를 벅벅 그어야지. 무한대로 치닫는 슬픔에 울음을 터트렸다. 졸업여행이 누군가에겐 추억일지 몰라도 내겐 그저 잊고 싶은 기억일 뿐이었으니까.

내가 이토록 슬픈 기억을 꺼내는 이유가 있다. 슬픔을 위로할 수 있는 건 오직 슬픔뿐이다. 영화 〈인사이드 아웃〉을 보아도 알 수 있다. 영화에 등장하는 사람들 머릿속에는 감정 컨트롤 본부가 있다. 그곳에선 기쁨, 슬픔, 버럭, 까칠, 소심 다섯 감정이 일한다.

11살 소녀 라일리의 다섯 감정 또한 어느 때보다 바쁘게 신호를 보내고 있었다. 그런데 실수로 기쁨과 슬픔은 본부를 이탈하게 되어 머릿속 세계로 떨어졌다. 그들은 머릿속 세계에서 다시 본부로 돌아가야 했다. 본부로 돌아가는 길에 라일리의 유년 시절을 함께했던 상상 속 친구 빙봉을 만난다.

코끼리를 무척 닮은 빙봉은 어느덧 훌쩍 커버린 라일리에게 점점 잊혀가는 존재였다. 그래도 희망을 놓지 않았다. "나는 말이야 언젠가 꼭 라일리와 함께 멋진 로켓 수레를 타고 우주로 여행을 떠날 거야."라고. 하지만 라일리와 빙봉의 소중한 추억인 로켓 수레는 기억처리반에 의해 머릿속 벼랑 밑으로 떨어졌다. "어쩌면 좋지? 이제 다신 라일리와 함께할 수 없을 거야." 로켓 수레가 떨어진 벼랑 끝에 주저앉아 엉엉 울었다.

기쁨은 빙봉이 슬픔에 빠진 것을 보고만 있을 수 없었다. "어서 기운을 내 빙봉! 네가 이러고 있으면 라일리는 더 슬퍼할 거란 말이야." 빙봉은 서럽게 울었다. 그때 빙봉에게 다가서는 감정이 있었다. 모두에게 외면을 받던 슬픔이었다. 슬픔은 빙봉 옆에 다가가 어깨를 토닥토닥 두드렸다. "로켓이 사라져서 속상하지 네가 사랑하는 걸 가져가 버리다니 너무 슬픈 일이야." 슬픔을 통해 빙봉은 흘리던 눈물을 멈추고 비로소 앞으로 나아갈 수 있었다.

슬픔을 위로하는 슬픔. 울부짖는 자들의 서늘한 옷자락에 뜨거운 눈물로 젖은 내 얼굴을 말없이 부비는 것이다. 그러니 당신의 손을 잡고 말하고 싶다. 실컷 울라고. 얼굴이 콧물 범벅이 되어도 괜찮으니 우선 엉엉 울어야 한다고. 당신이 조금 진정되고 훌쩍거릴 때 서로의 눈물을 닦아주며 함께 슬픔을 이야기하자고. 나와 당신이 겪었던 아픔이 얼마나 찢어질 듯이 아프고 지워버리고 싶었는지.

자해를 한 학생이 찾아왔습니다

여긴 OO고등학교 WEE 클래스 상담소. 17살의 학생이 찾아왔다. 학생의 팔에는 칼에 베인듯한 흉터가 이쑤시개를 흩뿌린 듯 퍼져있다. 반에서 1~2등을 할 만큼 공부를 잘하고 상장도 많이 받은 학생이다. 누구에게 괴롭힘이라도 당했던 걸까.

학생은 자해했다. 초등학교 6학년 때 처음 커터칼로 손목을 그었다. 시간이 흐를수록 자해 도구도 다양해졌다. 커터날은 녹이 슬기에 녹이 슬지 않는 면도날을 챙겼다. 소독제와 피를 지혈하는 압박 붕대까지 준비했다.

학생의 이름은 유영(가명)이다. 난 유영이에게 물었다. "자해하면 많이 아프지 않니?", "아프죠. 아프긴 한데 조금 기분이 나아지니까. 그리고 뭔가 내가 살아 있다는 느낌이 들어요. 이거라도 안 하면 당장 죽을 거 같으니까요." 당황스러웠다. 아니 공감이 되질 않았다. 자해하면 고통스러운 감정이 전부 해소된다니. 난 유영이를 바라봤다. 유영이는 두 손을 모은 채 손가락을 자꾸 만지작거렸다. 불안에 떨고 있었다.

유영이는 13살에 부모로부터 학대를 경험했다. 부모님은 유영이가 집에 늦게 왔다는 이유만으로 몽둥이를 들었다. "왜 밖에 싸돌아다니냐. 6시에 들어오라는 약속을 왜 지키지 않냐." 학년이 올라갈수록 온몸 구석구석에 피멍이 들었다. 15살이 되자 성적에 대한 압박이 심해졌다. 시험 성적이 발표된 날에도 유영이는 부모님께 호되게 맞았다. "꼴도 보기 싫다. 당장 집에서 나가라. 왜 넌 그것밖에 못 하냐."

유영이의 손이 덜덜 떨리고 있었다. "선생님!" 유영이는 마치 조금이라도 건드리면 터질 것만 같은 눈으로 날 바라봤다. "공부 못하면 엄마 아빠 자식이 아닌가요? 부모님은 저를 하나도 이해하지 못해요. 넌 나약해서 문제다. 의지가 없어서 그렇다."

유영이는 시험 기간만 되면 밥을 먹지 못했다. 애써 먹으면 구토했다. '한 문제 틀리면 인생이 망한다. 나는 쓸모없는 인간이다.'라고 생각했다. 어찌 성적이 사람 목숨보다 소중할 수 있을까.

"시험 기간만 되면 제 팔과 손목과 발목, 허벅지 등 수많은 부위를 썰어댔어요. 피는 질질 흐르고 눈물, 콧물은 사정없이 쏟아져 나왔죠. 제가 죽고 싶었냐고요? 아니요! 전 살고 싶었어요. 살려주세요. 제발 이 지옥에서 구해주세요. 죽을 것 같아요. 제발요."

유영이는 손톱을 물어뜯으며 벌벌 떨었다. 무슨 일이 생길 것 같았다. 난 유영이의 손을 붙잡았다. 먼저 진정시켜야 했다. "유영아 괜찮아. 선생님 눈을 보자. 응 그래그래. 괜찮아. 괜찮을 거야. 지금 선생님이랑 같이 있잖아?"

유영이는 죽고 싶은 게 아니다. 살고 싶다. 아마 이렇게 생각하지 않았을까. '차라리 몸에 상처를 내야지. 내가 다치면 부모님이 날 안 혼내지 않을까. 아니 어쩌면 아픈 날 보듬어주지 않을까.' 아이의 어깨가 들썩거렸다. 가슴이 찢어지는 듯한 통증을 느꼈다. 이 아인 부모님의 사랑을 간절히 원하고 있었다.

시간이 흐르고 유영이는 조금 진정되었다. 난 유영이의 눈물을 닦아주었다. 내가 무엇을 해줄 수 있을까. 그래 여기까지 잘 왔다. 네 아픔을 몰라줘서 미안하다는 말 몇 마디일 테다.

자해를 이해하지 못했다. "자해하면 아프지 않을까? 자해하는 아이가 과연 몇 명이나 있을까. 아프면 병원에 가야지 왜 자해하는 걸까."라고 생각했다. 그러나 자해는 날 간절히 알아봐 달라는 신호탄이다. "I'm here." 지금 내가 여기 있다고 말이다. 그 간절한 신호를 이젠 외면하지 말자. 망설이지 말고 다가가 "그래 내가 여기 있어.", "Yes I'm here."이라고 말하며.

———— ✎ ————

I'm here.
Yes! I'm here.

3장

사랑은 낭만을 가득 싣고

이타카로 향하는 길

사람은 누구에게나 미지의 세계 이타카가 있다
이타카로 가는 길을 나설 때 기도하라
사랑으로 가득한 오랜 여정이 되기를

* Ithaca (Acoustic Guitar Ver. By 정성하)를 듣고

너와 내가 길들여진다는 것은

발목을 포근히 감싸주는 워커를 사고 싶어 신발가게에 들렀다. 맘에 드는 워커를 고르고 직원에게 말했다. "265 사이즈로 주세요." 워커를 신고 이리저리 걸었다. 뻣뻣한 쇠가죽이 발을 꽉 붙잡아 조금 불편했다. 한 치수 큰 270을 신었다. 발에 맞지 않아 걸을 때마다 정신없이 들렸다. 답답함을 참고 사이즈가 265인 워커를 사야 할까. 아니면 다른 신발을 찾아야 할까. 난 어떻게 해야 할지 몰라 10분을 발만 동동 굴렀다. 그 모습을 가만히 지켜보던 직원은 답답했는지 내게 이렇게 말했다.

"고객님 조금 답답하게 느끼시는 건 가죽 신발이라 그래요. 신다 보면 길들여져서 아마 괜찮을 겁니다."
"아 그렇구나.... 그럼 다시 265로 주세요."

직원의 말이 맞았다. 그 워커를 신은 지 1년이 지난 지금, 워커는 잘 길들여져 내 발을 튼튼히 지키고 있다.

우리는 새 신발을 신었을 때의 느낌을 잘 안다. 맞는 듯, 안 맞는 듯 참 어색하다. 1년 정도 신으면 내 발에 맞게 가죽이 늘어난다. 신발과 내 발이 서로 길들여지기까지 이토록 많은 시간이 걸린다. 하물며 사람의 마음은 오죽할까. 여우가 어린 왕자에게 했던 말이 생각난다.

"길들임이란 관계를 맺는 거야. 지금 난 너에게 수많은 여우 중 하나일 뿐이지만 길들이게 되면 나는 너에게 단 하나뿐인 여우가 되지. 네가 나를 길들인다면 내 삶은 햇살을 비추는 것처럼 환해질 거야."

처음부터 나와 마음이 똑같은 사람은 어디에도 없다. 마치 신발이 길들여지듯 서로의 다름을 인정하고 기다리는 것. 각자 바라는 것에만 중심을 싣기보다 서로를 위해 고민하는 것은 어떨까. 서로에게 단 하나뿐인 사람이 되기 위해 말이다.

마음의 떡잎이 피어오르다

　초등학교 6학년 때 강낭콩을 심고 키우는 수업을 들은 적이 있다. 수업의 목표는 간단했다. 화분에 강낭콩을 심어서 잘 자라게 하면 되었다. 난 하루에 한 번씩 꼭 물을 주었다. 매일매일 물을 듬뿍 준다면 무럭무럭 자라겠지. 강낭콩이 빨리 자랐으면 하는 마음이었다. 그런데 일주일이 지나도 새싹이 나질 않았다. '왜 싹을 내지 않는 거야? 분명 물을 많이 주었단 말이야.' 씩씩거리며 화분의 흙을 파헤쳤다. 그리고 화들짝 놀라고 말았다. 분명 심기 전엔 연둣빛을 냈는데 노르스름했다. 썩은 콩의 시큼한 냄새는 퀴퀴한 흙냄새와 뒤섞여 코를 찔렀다. 너무 억울해 눈물을 글썽거렸다.

억울한 표정을 지으며 선생님에게 달려갔다. "선생님 제 강낭콩이 다 썩어버렸어요. 저는 분명 물을 많이 주었단 말이에요." 선생님은 나에게 물었다. "일주일에 물을 몇 번 주었니?" 난 당당히 말했다. "7번이요! 분명 난 하루도 거르지 않았다고요!" 선생님은 나를 바라보며 찬찬히 미소 지었다. "재윤아 강낭콩은 일주일에 두 번 정해진 시간에 물을 줘야 해요. 변함없이 말이야" 난 고갤 끄덕이며 선생님에게 물었다. "선생님 그럼 저도 떡잎을 볼 수 있겠죠? 일주일에 두 번 물을 주어도 괜찮겠죠?" 그녀는 내 머리를 쓰다듬으며 말했다.

"그럼 더도 말고 덜도 말고 보살피는 마음으로 꾸준히."

———— 🖋 ————

선생님의 말을 추억한다. 사랑은 마치 강낭콩을 키우는 일과 같다. 물이 부족하면 메말라버리고 너무 많이 주면 썩어버려 잎이 나지 않는다. 언제나 늘 변함없이 일주일에 두 번 물을 줘야 했다. 그럼 언젠가 당신의 마음에 고운 떡잎이 피어오르리라. 그때까지 정성껏 보살피는 일. 그게 바로 사랑이겠다.

카네이션을 전해주겠단 사람

66

이 밤 그날의 반딧불을 당신의 창 가까이 띄울게요.

음. 사랑한다는 말이에요.

가수 아이유가 쓴 〈밤 편지〉의 가사다. 스무 살부터 불면증을 앓아온 그녀에게 잠은 무척 소중했다. 반딧불을 띄워주겠다는 말은 당신만큼은 편히 잠들었으면 좋겠다는 마음을 꾹꾹 눌러쓴 것이다. 사랑이란 말 대신 창 가까이 반딧불을 띄워주는 일. 그녀만의 쑥스러운 사랑 표현이다.

아이유처럼 나는 사랑한다고 말하는 일이 쑥스럽다. 마치 숨겨둔 일기장을 프레젠테이션 화면으로 띄우는 듯하다. 특히 부모님에게 사랑한다고 말하는 것은 무척이나 힘들다. 말 한마디가 이토록 어렵다니. 부모님께 끊임없이 "아들아 사랑한다."라는 말을 들었음에도 말이다. 기회가 주어지는 날은 어버이날이다. 그날만큼은 사랑한다고 말해도 괜찮을 거 같지만 번번이 실패했다.

난 고등학생 때부터 부모님 몰래 카네이션을 식탁 위에 올려두었다. 아이유가 사랑하는 이 곁에 반딧불을 전한 것처럼 말이다.

2020년 5월 8일, 다시 어버이날이 찾아왔다. 난 잠깐 본가를 떠나 서울 자취방에 있었다. 지금이 사랑한다고 말할 수 있는 기회가 아닐까 싶었다. 전화를 할까 망설이다 결국 못 했다. "저를 낳아주셔서 고맙습니다. 사랑합니다." 한마디가 어찌 이리 힘든 걸까. 선물 목록을 뒤적였다. 휴대용 안마기, 홍삼액 등등을 살펴보다 결국엔 또다시 카네이션이다. 이번엔 카네이션 화분을 드리기로 했다. 얼마 전, 선인장 화분에 꽃이 피었다고 좋아하시는 부모님의 모습이 떠올랐기 때문이다. 아! 색깔은 꼭 분홍색으로 골라야겠다.

분홍색 카네이션 꽃말.
"당신을 사랑합니다."

눈동자에 마음이 있다

눈을 보면 사람의 마음을 알 수 있다. 그곳에 다양한 빛이 맺히기 때문이다. 꿀처럼 달콤한 눈빛, 차가운 대리석 같은 눈빛, 동태 눈깔처럼 초점이 풀린 눈빛 등.

마음이 어디에 있냐고 물으면 보통 심장을 가리킨다. 난 생각이 다르다. 마음은 눈에 있다. 그곳엔 진심이 담겨있으니까.

혼자 간직하고픈 눈빛을 본 적이 있다. 홍채와 흰자 표면이 그렁그렁하게 맺힌 눈빛이다. 그런 눈빛을 가진 사람과 함께라면 온종일 있어도 지루하지 않았다.

어머니의 과일 한 접시

고등학생 시절 야간 자율학습을 끝내고 집에 돌아오면 언제나 책상 위에 과일 한 접시가 놓여 있었다. 어머니는 하루도 빠짐없이 사과, 배, 복숭아 등의 과일을 씻었고 내가 집에 오기를 손꼽아 기다렸다. 대학생이 된 난 집을 떠나 서울에서 생활했다. 가끔 서울에서 내려와 집에 올 때마다 어머니는 과일 한 접시를 책상 위에 올려놓았다.

난 친구들과 종일 놀고 새벽이 돼서야 집에 들어왔다. 살금살금 들어와 방문을 열면 과일 한 접시가 날 기다리고 있었다. 하염없이 날 기다리던 과일은 매몰차게 버려졌다. 내게는 그저 귀찮은 존재였을 뿐. 먹지 않은 과일은 수분을 잃었다.

어머니는 자식이 돌아올 때마다 과일을 씻었다. 나는 또 먹지 않았고 어머니는 말라비틀어진 과일을 하나씩 목구멍으로 삼켰다. 그래도 어머니는 내 책상 위에 과일 한 접시를 올려놓을 수 있어서 행복했다. 과일 한 접시를 줄 수 있는 건 보고픈 내 아들이 반드시 집에 돌아온다는 사실과 같았으니까.

2016년 5월 17일, 입대하던 날. 어머니는 훈련소 앞에서 닭똥 같은 눈물을 흘렸다. 어머니는 내 얼굴을 어루만지며 말했다. "보고 싶을 거야. 아들." 흑흑하는 소리와 함께 "현 시간부로 입영 장정들은 운동장 중앙으로 모여주시기 바랍니다."라는 방송이 들렸다. 어머니에게 손을 흔들며 인사를 건넸다. 애써 터져 나오는 눈물을 꾹꾹 참았다. 나마저 울어버리면 어머니는 그대로 주저앉을 것만 같았기에. 어머니는 2년 동안 자식을 향한 그리움을 삼켜야 했다. 차라리 말라비틀어진 과일을 삼키는 게 더 나았을 것을.

--------------------- ✍ ---------------------

늦은 밤 12시 40분, 고요한 시간. 오랜만에 군 휴가를 나온 난 친구들과 시간을 보내고 집에 돌아왔다. 책상엔 과일 한 접시가 놓여 있었다. 고개를 푹 숙였다. 그제야 묵묵히 그것들을 입안에 넣었다. 과즙이 입안에서 터졌다. 포크를 쥔 손과 입술은 부르르 떨렸다. 어머니의 눈물과 사랑을 삼켰다. 시큰거리는 코를 부여잡고 부엌 식탁에 빈 접시를 두었다. 어머니는 안방에서 곤히 주무시고 계셨다.

책가방을 들어주겠다던 아버지

야간 자율학습이 끝난 늦은 밤 11시, 아버지는 나를 태우러 학교에 왔다. "그르렁 덜덜덜." 10년이 넘은 차의 둔탁한 쇳소리가 들려오면 난 학교 밖으로 달려갔다. "아들아. 어서 타거라." 미소를 지으며 말했다. 아버지를 바라봤다. 헝클어진 머리칼과 축 처진 눈매. 고된 일을 마친 터라 많이 지치고 피곤해 보였다. 그래도 주름진 얼굴엔 활짝 생기가 돌았다.

아파트 주차장에 도착하면 아버지는 집까지 책가방을 메었다. 난 집 앞 계단을 오르는 아버지의 뒷모습을 보았다. 그런데 시간이 흐를수록 그의 등은 점점 작아 보였다. 기억 속의 모습과 너무나 달랐다.

다섯 살 무렵, 달리기 대회에서 당당히 1등을 하고 돌아온 아버지를 기억한다. 아버지의 팔뚝은 내 얼굴만큼 굵었다. 아버지는 돌 같이 딱딱한 팔로 날 번쩍 들어 올렸다. 집에 고장 난 물건은 무엇이든 다 고쳤다. 모르는 걸 물어보면 막힘없이 술술 대답했다. 난 그런 아버지를 닮고 싶었다. 그는 이 세상에서 제일 힘이 세고 똑똑한 사람이었다.

시간이 흘렀다. 내 얼굴만큼 굵은 팔뚝 대신 불룩 나온 뱃살. 풍성한 곱슬머리 대신 헝클어진 머리카락이 아버지를 대신한다. 그래도 난 당신 같은 아버지가 되고 싶다. 자식의 책가방을 메는 것은 가족의 짐을 품고 감당하려는 마음이었다. 그 무게는 헤아릴 수 없다. 오늘 내가 편히 집에서 쉴 수 있는 이유는 당신의 수고와 땀을 품은 열매란 사실을. 어리석게도 이제야 알았다.

짊어질 수 없는 무게를 지고 올라가시는 아버지의 사랑. 뒷모습이 초라해 보여도 그는 영원한 나의 아버지였다.

가슴이 기억하는 말

초등학교 졸업식 날
담임선생님은 떠나는 아이들을 부둥켜안고
눈물을 흘렸다

그녀의 말을
가슴으로 기억한다

날 안아주었을 때 했던 말
먹먹한 목소리로
진심이 담겼던 그 말

"재윤이는 참 성실해서 뭐든 잘 해낼 거야
부디 건강하게만 자라 다오."

신발 닦이 소년 _ 프리퀄

　꿈을 꾸었다. 나는 여자 친구를 사귀고 있었고 함께 버스에 앉아있었다. 너는 종착지가 어딘지도 모르는 버스 창가에 기대어 꾸벅꾸벅 졸았다. 나도 모르게 웃음이 나왔다. 문득 보드라운 복숭아뼈 밑으로 보이는 네 신발을 보았다. 며칠을 안 닦은 듯 더럽고 꾀죄죄했다. 다른 사람들의 신발은 참 깨끗한데 어찌 너의 신발만 이리 더러울까. 마음이 찢어질 듯 아팠다. 정류장에서 내리면 잠깐 정류장 나무 의자에 널 앉히는 거다. 그리고 너의 발 앞에 무릎을 꿇고 더러워진 신발을 가방에 들어있는 손수건으로 곱게 닦아주고 싶었다. 버스가 심하게 덜컹거렸다. 네가 화들짝 잠에서 깼다. 취익소리를 내며 버스가 멈췄다. 넌 후다닥 교통카드를 꺼내고 계단을 내려갔다. "잠깐만! 어? 내 교통카드가 어디 있지?" 하지만 버스의 문은 드르륵 쿵! 닫혀버렸다. 난 황급히 문을 두드리며 소리쳤다. "기사님 문 좀 열어주세요. 제발요!" 화들짝 잠에서 깼다.

꿈을 꾸었다.

당신을 눈앞에서 놓쳐버리는 꿈.

난 그저 당신의 신발을 닦아주고 싶었을 뿐인데.

신발 닦이 소년 _ 마무리

"신발을 하나 사야겠어." 길을 걷다 여자 친구가 내게 말했다. 그녀의 하얀색 스니커즈 운동화는 회색이 된 걸 둘째치고 밑창이 닳아 없어진 상태였다. 함께 신발가게에 갔다. 때가 타지 않는 검은색을 제안했지만 결국 하얀색 FILA 운동화를 샀다. 난 재잘대며 말했다. "흰색 신발은 관심이 많이 필요한 녀석이야. 일주일에 한 번씩 닦아줘야 하고. 가죽 크림도 발라줘야 갈라지지 않아. 신발 끈도 주기적으로 교체해야 하고……."

그녀는 흰색 신발을 좋아했다. 이유는 그냥 예뻐서. 워낙에 신발을 거칠게 신기 때문일까. 반짝반짝 빛나던 흰 신발은 한 달도 채 되지 않아 헌신짝이 되었다. 어디 논두렁이라도 다녀왔냐. 아니 그럴 거면 뭐하러 흰색을 샀냐고 조잘조잘 대자 그녀가 방긋 웃는다. "별수 없지 뭐. 닦아봤자 어차피 또 더러워질 텐데."

나에겐 별난 욕구가 있다. 더러워진 흰색 신발을 새하얗게 닦아주고 싶은 욕구. 구매한 지 벌써 3년이 넘은 프레드 페리 신발이 아직도 새하얀 걸 보면 말 다 했다. 난 절대 그 신발을 내버려 둘 수 없다고 단호하게 말했다. 그녀의 신발을 닦아주기로 했다.

"신발 끈도 하나 사야겠어." 신발가게에 들러 180cm의 흰색 신발끈을 샀다. 직원분에게 양해를 구하고 그녀를 자그마한 의자에 앉혔다. 난 무릎을 꿇고 그녀의 신발을 어루만졌다. "밑창부터 닦아야 해." 먼저 클리닝 물티슈로 밑창을 사포질 하듯 닦아낸다. 가죽의 묵은 때는 검지와 중지를 모아 비비며 닦아낸다. "뭐야~~! 완전 새 신발이잖아. 룰루랄라." 그녀는 오뚝이처럼 몸을 흔들고 다리는 그네를 탄 것처럼 상하로 움직였다. "아우! 좀 가만히 있어봐. 아직 안 끝났단 말이야." 신발끈을 갈아야 했다. 신발끈도 단추처럼 시작이 중요하다. 구멍에 끈을 넣은 뒤 날개처럼 갈라지는 끈의 길이가 일정한지 잘 재야 한다.

그녀는 흰색 신발을 닮았다. 소홀히 해서는 안 된다. 일주일에 한 번씩 사랑한다고 말해주기. 마음이 갈라지지 않도록 성질부리지 않기. 한 달에 한 번, 주기적으로 떡볶이를 먹어주는 일. 무엇보다 마음에 생채기와 묵은 때가 있는지 확인하는 일 말이다.

힘들고 지칠 때 그녀의 마음엔 여기저기 생채기가 났다. 세무사를 준비하는 그녀는 시험 준비로 걱정이 많았다. 미래에 대한 불안이 묵은 때처럼 마음에 철썩 들러붙었다. 비록 그녀의 모든 고민을 해결할 수 있는 전지전능한 신은 아니더라도 그녀의 마음을 닦아주는 사람이 되고 싶었다. 마음에 묵은 때를 벗겨주는 일. 상처 난 마음에 가죽 크림을 발라주는 일. 그녀의 유일한 신발 닦이 소년이 되는 일.

"자…. 다 했다!" 신발끈을 리본으로 묶었다. "오빠. 직원분이 계속 쳐다보는데?" 매장 직원이 뒤에서 우릴 멀뚱히 쳐다보고 있었다. 내가 오랜 시간 구부정한 자세로 앉아 있어서 무얼 하나 싶었을 테다. "어서 나가자." 난 그녀의 손을 잡고 가게의 문을 열었다. 바깥엔 부슬부슬 비가 내리고 있었다. "어쩌면 좋아…. 또 더러워지겠는걸." 난 그녀의 눈을 바라보며 말했다. "괜찮아. 더러워지면 또 닦아주면 되지."

———— ✍ ————

오늘 멋진 꿈을 꾸었다.
그녀의 신발을 닦아 주는 꿈.
사랑하는 사람의 신발 닦이 소년이 되는 꿈.

새벽 두 시

새벽 두 시에 글을 쓰는 건
당신이란 별을 그리는 것
그날 밤 당신은 세상에서
아마 가장 밝게 빛나고 있을 거야

하늘을 바라보는 소녀

해 질 무렵 하늘이
소녀처럼 수줍게
부끄럼을 태우면
너는 분명 내게 말했을 거야
오늘 하늘이 참 예쁘다고

나와 다른 장소에서
나와 같은 시간 속에서
나와 같은 하늘을 바라보며
서로를 생각하고 있겠지

함께 하늘을 바라볼 수 있다는 것은
이 얼마나 놀라운 축복이던가

당신과의 거리 40cm

나 그리고 당신과의 거리는 어느 정도일까요

당신의 눈동자를 바라볼 수 있는 40cm

그래요 40cm가 가장 좋겠어요

볕뉘처럼 따스한 온도

나는 아직도 신기해. 그리고 아주 아찔해. 내가 만약 천안시 동남구 충절로에서 진행했던 모임에 가지 않았더라면. 그곳에서 당신의 선배를 만나지 못했다면. 꽃잎이 떨어질 6월 무렵에 당신을 알게 되지 못했다면 지금 우리는 만나지 못했을까. 수만 가지의 경우를 뚫고 당신이란 사람을 만날 수 있어서 얼마나 감사한지. 난 당신 덕분에 많은 걸 배우고 감사하고 행복하고 내일이 기대되는 하루하루를 살아. 함께 하는 일상이 즐거워. 당신을 위해 내가 많이 노력해야겠어. 사랑은 커피의 온도와 비슷한 거 같아. 너무 뜨거우면 혓바닥이 데일 수밖에 없고 너무 차가우면 따뜻할 때가 그리운 것처럼 우리의 온도도 따스할 수 있기를 바란다고.

당신과 나에게 알맞은 사랑의 온도는 무엇일까. 커피의 맛을 제대로 음미할 수 있는 온도. 서로 적당한 거리를 유지할 수 있는 온도. 너무 차갑지도 너무 뜨겁지도 않은 온도. 해가 옆에서 비칠 때 보이는 *볕뉘처럼 따스한 온도.

*볕뉘 : 작은 틈을 통하여 잠시 비치는 햇볕

수학 문제의 매력

수학 문제를 풀 때 느꼈던 매력은 얼마든지 풀이과정을 돌아볼 수 있다는 것이다. 틀린 부분으로 돌아가서 왜 틀렸는지 고민하고 수정한다. 오랜 시간이 걸려도 정답을 찾았을 때의 희열은 말로 다 할 수 없다. 되돌아간다는 것은 앞만 보고 달려가야 하는 세상에 들어맞지 못한 선택처럼 보인다. 절대 그렇지 않다. 미처 보지 못하던 풍경이 비로소 보이기 시작한 것은 걸어온 길을 되돌아갔을 때였다. 되돌아가는 것은 뒤처지는 것이 아니다. 우리가 무심코 흘려보낸 기쁨을 다시 잡는 것이다.

—————— ✎ ——————

삶이란 문제를 되돌아보며 깨달았다. 나는 이토록 많은 사람에게 사랑받고 있었단 사실을. 나와 함께 걸어온 당신이 내게 이토록 소중한 사람이었단 것을.

가장 낮은 곳에서 피어나는 꽃

인도에 하루 1.25달러로 살아가는 찬드라반이란 마을이 있다. 2014년 1월 4일, 서울여대 봉사 프로그램 GSL에 지원한 재학생들은 그곳에서 일주일 동안 봉사했다. 그들이 남긴 기록이 있다.

"세 가지가 충격이었어요. 첫째 복수가 터져서 나온 물 때문에 배가 부푼 거죠. 둘째는 가방이었어요. 어떤 애가 허름한 쌀 포대를 메고 오더니, 그걸 가방이라고 자랑하는 거예요. 마지막은 꿈. 애들이 꿈이라는 단어를 아예 모르더라고요."9)

기독교학과에 재학 중인 두 학생은 찬드라반 아이들에게 꿈의 의미를 알려주고 싶었다. 두 학생은 한국 땅에 돌아오자마자 동아리 모집공고를 냈다. "인도 찬드라반 아이들이 꿈꿀 수 있는 환경을 만들어 갈 사람을 찾습니다." 2014년 3월, 모집공고 2개월 만에 예그리나 1기가 탄생했다.

학회에 따르면 예그리나는 '서로 사랑하는 우리 사이'라는 뜻이다. 예그리나는 텀블벅 펀딩으로 찬드라반 아이들을 위한 후원금을 모았다. 텀블벅 펀딩이란 후원자에게 직접 제작한 에코백, 배지, 물병, 엽서 등을 보내주는 과정을 말한다. 그 돈으로 찬드라반 아이들을 위한 구호 물품을 샀다. 인도에 가는 경비는 각자 알바를 해서 마련했다. 아이들의 건강을 위해 매일 영양간식을 준비했다. 평일에는 힌디어 읽기와 체육 활동 등을 하고 토요일엔 아이들을 씻겨준다고.10)

그들이 남긴 사진과 글을 통해 자신을 한없이 낮추는 사랑을 짐작한다. 예그리나는 동아리 설립 4주년을 기념하여 합정역 어느 카페에 자그마한 사진전을 열었다. 나무색 카운터 뒤편에는 10평 남짓한 공간이 있었다. 그곳에 그들이 남긴 사진과 글을 전시했다.

찬드라반 아이들은 신발을 신지 않았다. 신발을 살 돈이 없었기 때문이다. 아이들은 모난 돌이 촘촘히 박힌 흙바닥을 맨발로 걸었다. 아이들의 발목은 검게 그을렸고 발바닥은 여기저기 살이 부르텄다. 그런데 한 대학생이 아이의 더러워진 발을 맨손으로 어루만지며 눈물을 글썽였다. 그 학생이 쓴 글을 가져왔다.

진두랑 놀다가 조금 까져있는 진두의 발을 봤다. 진두를 끌어안고 응급 상자 쪽으로 데려갔다. 진두의 발바닥을 들어 무릎 위에 올렸다. 돌멩이가 박혀있는 흙바닥은 진두의 발꿈치를 딱딱하게 무뎌지게 했다. 진두의 발꿈치는 너무 건조해서 조금이라도 긁히면 피가 새어 나올 듯하다. 발꿈치 틈 사이에는 작은 나뭇가지가 듬성 듬성 박혀있었다. 진두, 그 사랑스러운 아이의 발이 내 손에 닿았을 때 나는 울지 않을 수 없었다. 황급히 마스크를 눈 아래까지 높이 올려보아도 눈물이 새어 나오는 것을. 애써 진두의 발을 만지작거리며 진두의 눈을 마주했을 때 난 괜찮다며 날 위로하듯이 예쁜 웃음을 지었다. 아이들은 어느새 하나, 둘 모여들어 나를 감싸고 노래를 불렀다. 울다가 웃으면 엉덩이에 뿔난다는 노래 같았다. 남자애들은 나를 놀리면서 "아리~크리아 노노 아리!! 쓰읍 쓰읍"라고 말했다. 여자애들은 그 고사리 같은 여린 손으로 내 눈물을 닦아줬다. 난 나도 모르게 행복한 웃음이 피식하고 터져버렸다. 내가 웃자 짓궂은 남자애들은 소리 높여 더 놀리기 시작했고 눈물을 닦아주던 여자애들도 함께 웃었다.

사랑은 가장 낮은 곳에서 피어나는 꽃과 같다. 자신을 한없이 낮춘 자리에서 무한한 사랑이 피어오르는 것이다.

사랑의 원자탄

진물과 피가 뒤섞인 방안, 표현하기조차 버거운 냄새는 코를 찌르는 거로 모자라 머리까지 뒤흔든다. 이곳은 *나병 환자들을 수용한 14호실. 환자들의 병세가 얼마나 심했는지 전문 의료인조차 들어갈 수 없어 나병 환자들이 그들을 간호한다. 그런데 이 방 안에 들어가려는 한 사람이 있다. 나병 환자들은 화들짝 놀라 그의 앞을 가로막았다. "아이고 목사님 이곳만큼은 절대 들어올 수 없습니다. 저희조차 버겁고 꺼리는 곳입니다. 목사님 정말로 전염될 수 있다니까요." 그는 그렁그렁한 눈으로 대답했다. "차라리 전염되고 싶습니다. 그러면 그들 곁에서 계속 간호하고 기도해 줄 수 있잖아요."[11]

*나병 : 나균에 의해 감염되는 전염성 질환. 살이 썩어 문드러지는 병이다.

그는 병동의 문을 열고 성큼성큼 걸어갔다. 나병 환자들은 급히 손수건을 꺼내 입과 코를 틀어막았지만 정작 그는 아무렇지 않다. 그가 온몸에 붕대를 감고 있는 나병 환자에게 다가갔다. 그 환자의 몸 주위는 고름과 피로 정신없이 뒤엉켜 있다. 그는 환자의 붕대를 풀고 문드러진 살에 고인 피와 고름을 입으로 직접 빨고 뱉었다. 두 눈으로 보기 힘든 광경이다. "세상에 목사님…." 붕대를 감고 있던 환자가 들썩거린다. 병동 안은 어느새 울음바다가 되었다. 자신을 희생하면서까지 사랑을 몸소 실천한 사람. 목사 손양원이다.

해방 후, 나라는 나사 빠진 의자처럼 불안정했다. 전국 곳곳에서 남한만의 선거로 단독정부를 세우자는 우익세력과 통일 정부를 만들어야 한다는 좌익세력이 충돌했다. 싸움은 걷잡을 수 없이 커졌다. 1948년 10월 순천에서 여순사건이 터졌다. 손양원 목사의 일대기를 그린 《하얀 불꽃》의 글 일부를 가져왔다.

"미군 철수와 단독정부 반대를 주장하며 4.3 제주 항쟁이 일어났다. 제주 농민들이 들고 일어서자 이를 진압하기 위해 군대가 파견되었고, 순천에서도 14연대를 제주도에 파견하기로 했다. 14연대에는 좌익 성향을 가진 군인들이 많았다. 이들은 '분단 정권 거부'를 외치며 제주도 출동을 반대했다. 1948년 10월 19일, 병기고와 탄약고를 장악하고 반란을 일으켰다. 반란은 좌익 학생들까지 가세해 더욱 커졌."[12]

좌익 무리는 경찰서를 점거했고 기독교인은 미국의 스파이라며 무참히 살해당했다. 손양원 목사의 두 아들 동인과 동신은 좌익 학생들에게 끌려갔다. 학생 한 명이 동인과 동신을 향해 소리쳤다.

"친미 사상에 빠진 미친 예수쟁이 놈들은 총살감이다." 방아쇠가 당겨졌다. "타당-탕." 두 형제는 또래의 손에 죽었다. 동인의 나이 23세, 동신의 나이는 18세였다.

동인, 동신의 시신은 나흘이 지나서야 손양원 목사가 있는 애양원에 닿았다. 그의 아내 정 여사는 수레에 실려 온 아들들의 시체를 보자마자 기절했다. 며칠 전까지만 해도 교회에서 나란히 노래를 부르던 아들들이었는데. 정 여사는 동인과 동신의 손을 부여잡았다. 눈이 뒤집힌 채로 오열했다. 그는 수레를 바라보며 우두커니 서 있었다.

"순천 자취집에서 동인이와 동신이가 쓰던 물건들이 집으로 돌아왔다. 책과 가방, 교복과 소지품 등 이제는 유품이 된 물건 하나하나에는 동인 형제의 땀 냄새와 손때가 고스란히 배어 있었다. 손 목사가 교복을 펼쳐 어루만졌다. 그러더니 갑자기 "흐흐흑……으흐흑!" 울음을 터트렸다. 교복을 꼭 끌어안은 채 주저앉아 통곡하기 시작했다. "동인아, 동신아, 사랑하는 내 아들아. 보고픈 내 아들아."13)

손양원 목사는 동인과 동신의 장례식 날 아홉 가지 감사 기도를 드렸다. 사람들은 일곱 번째 기도제목을 듣고 충격에 빠졌다. "일곱째, 저는 사랑하는 두 아들을 총살한 안재선을 회개시켜 내 아들로 삼고자 합니다. 그런 사랑의 마음을 주시니 감사합니다."

추측하건대 사람들은 손 목사의 태도를 이해하지 못했을 테다. 어찌 아들을 죽인 원수를 용서할 수 있는가. 그를 손가락질하며 '위선자, 가식 덩어리, 아들을 팔아서 명예를 얻으려는 놈, 죽은 아들을 보기에 부끄러운 아버지.'라고 말했을 거다. 그러나 그들의 생각은 분명 잘못되었다. 손 목사님도 슬픔을 느끼는 사람이다. 자식을 잃은 부모의 아픔은 창자가 끊어지는 아픔이라는데 어찌 쉬이 감당할 수 있을까. 안재선을 만나기 전에 이렇게 기도하지 않았을까. "예수님이 우리를 너무나도 사랑해서 우리 죄를 용서했듯이 나도 재선이를 용서해야 합니다. 하나님 사랑하는 마음을 주세요. 도와주세요."

"네가 재선이냐?" 손 목사는 맞은 상처가 아물지 않은 재선이의 얼굴을 뚫어지게 보다가 가만히 손을 잡았다. "얼마나 무섭고 아팠을까. 이젠 다 괜찮다. 하나님께서 네 실수를 다 용서하셨을 거야." 재선은 잔뜩 겁에 질려 손 목사를 올려다보았다. 그러곤 곧 바닥에 엎드렸다. 이내 재선의 어깨가 흐느낌으로 떨려왔다. 손 목사의 진심 어린 눈빛 앞에서 비로소 두려움이 아닌 참회의 눈물을 흘리고 있었다. 손 목사는 재선의 어깨를 쓸어 주었다. 작고 여린 어깨였다. 이제 갓 스무 살, 소년의 체취를 채 벗지 못한 어깨에 총을 메고 방아쇠를 당겼을 것을 생각하니 참으로 기가 막혔다. 미친 세상 탓이다. 아무것도 모르는 어린아이들을 광기 어린 이념의 희생자로 내몬 잘못된 시대 탓이다. 그 세상으로부터 아이들을 지켜주지 못한 어른들의 잘못이다. 속죄하는 마음으로 이 아이를 품어주리라.[14]

목사 손양원, 사람들은 당신을 사랑의 원자탄이라고 불렀다. 사랑의 원자탄이라니. 참 역설적인 단어다. 원자탄은 사람을 죽이는 무기다. 원자폭탄이 터지면 반경 500m 내의 존재하는 모든 것이 증발한다. 폭발 후 생기는 후폭풍은 철근 콘크리트 건물을 가볍게 날릴 정도다. 원자탄, 이 무시무시한 단어에 사랑이란 말이 붙었다. 이 모순덩어리인 단어가 만들어진 이유는 도대체 무엇일까. 당신이 보여준 사랑에 있었다.

꽃잎보다 낙엽을 만져주는 사람

등산을 좋아하는 분들은 알 것이다. 벚나무의 낙엽이 얼마나 아름다운지를. 어머니와 함께 가을 산행을 하러 가는 길이었다. 어머니가 말했다. "벚나무의 낙엽이 먼저 물들어야 가을이 다가온단다." 난 벚나무의 낙엽을 찬찬히 살폈다. 빨강 물감을 푹 찍은듯한 낙엽은 하늘에 흩뿌린 듯이 반짝이는 햇살에 숨이 막힐 지경이다.

봄이 아닌 다른 계절의 벚나무를 기억하는가? 대부분 고개를 갸우뚱거리거나 절레절레 흔들 것이다. 사람들은 눈발처럼 흩날리는 벚꽃잎만 떠올린다. 이유는 간단하다. 벚나무는 사계절 중 꽃이 필 때 제일 아름다웠으니까. 꽃잎이 떨어지면 사람들의 관심도 떨어져 나간다.

삶이 벚나무 같은 사람들이 있다. 개그맨, 작가, 배우 등등 사람들의 관심이 필요한 사람들이다. 사람들 모두 그들이 피워낸 꽃잎을 동경한다. 하지만 그것이 떨어지는 순간이 오면 끝장이다. 그들은 살기 위해 매번 꽃을 피워내야 했다. 이미 꽃잎이 떨어져 앙상한 가지만 남은 나무의 곁엔 발길이 끊겼다. 도대체 나무에게 사랑한다고 말하던 사람들, 아름답다고 감탄하던 이들은 어디로 사라진 걸까. 정말 사랑했다고 말할 수 있을까. 아니 난 결코 아니라고 본다.

사랑은 늘 한결같다. 한결같지 않은 사랑은 사랑이 아니다. 진심으로 사랑했다면 변함이 없어야지. 모난 티끌까지 품을 줄 알아야 한다. 꽃을 피우건, 낙엽이 지건 나무는 나무이다. 차갑던, 뜨겁던 물은 물이고 설레던 사람이 편안함만 남았어도 그 사람은 그 사람인 것을.

———— ✎ ————

꽃잎을 어루만지기보다 구멍이 난 잎사귀를 어루만져주는 사람이길. 그게 사랑 아니었을까.

4장

누군가의 낭만을 그리고 새깁니다

빨강머리 앤의 상상은 현실이 된다

살다 보면 종종 두려움에 빠질 때가 있죠. 특히 큰일을 앞두고 있다면 말이에요. '중간시험을 망치면 어떡하지.', '수강 신청에 실패하면 어떡하지.' 저도 여러분과 비슷한 경험을 한 적 있어요. 마릴라 아주머니와 함께 마차를 타고 고아원으로 돌아가는 길이었어요. 돌아가고 싶지 않아 너무 슬펐지만 즐거운 기분으로 가기로 결심했어요. 지금까지 마음만 굳게 먹으면 대개 무슨 일이든 즐길 수 있었거든요. 물론 마음을 단단히 먹어야 했지만요.

마차를 타고 가는 동안 고아원으로 돌아간다는 생각은 접었어요. 그냥 마차를 타고 있다는 생각만 했죠. 바로 그때였어요. 제 안에 있던 걱정이 사라지자 미처 보지 못했던 놀라운 풍경이 비로소 보이기 시작했어요. 먼저 눈부시게 반짝이는 햇살에 비친 푸른 바다가 제 눈앞에 펼쳐졌어요. 은빛 날개를 반짝이며 바다 위로 날아오르는 갈매기도 보았고요. 그 모습을 말없이 지켜보며 나도 저 갈매기처럼 자유롭게 바다를 날고 싶다는 상상을 했어요.

혹시 곡선의 의미를 알고 있나요? 뾰족뾰족하지 않고 끊어지지 않는 선을 말해요. 저는요. 나만의 아름다운 곡선을 만들기 위해서 걱정하는 일을 그만두기로 했어요. 도대체 걱정과 곡선이 무슨 상관이냐고요? 만약 매일매일 걱정만 한다면 마음 이곳저곳에 삐뚤빼뚤한 곳이 생겨버려요. 뾰족뾰족한 선처럼요.

뾰족뾰족한 선은 마음 이곳저곳을 쿡쿡 찔러 생채기를 만들어요. 마음에 상처를 입고 병들어가는 것만큼 슬픈 일이 어디 있을까요. 그렇다고 주저앉아 엉엉 울고 있지는 않겠어요. 무수히 많은 점들이 모여 선이 되듯이 삶의 좋은 순간순간들이 모인다면 나만의 예쁜 곡선이 만들어지지 않을까요? 아 그런데 예쁘다는 말만으론 뭔가 모자란 거 같아요. 아름답다는 말도 한참 부족해요. 아 그래요. "황홀하다."가 좋겠어요. 황홀한 곡선. 어때요. 참 멋지지 않나요?

여러분은 어떤 곡선을 그리고 있나요. 잘 모르겠나요? 당신의 머릿속이 새하얀 스케치북이라면 어떨까요. 한 번 즐겁게 살겠다는 다짐을 가지고 곡선을 그려보세요. 다 그렸다면 저에게 스케치북을 가져다주세요. 그럼 환하게 미소 지을게요.

자연과 더불어 산다는 것

유현준 교수의 《도시는 무엇으로 사는가》라는 책을 읽고 건축가 안도 다다오를 알았다. 그가 직접 설계한 스미요시 주택은 다다오에게 세계적인 명성을 주었다. 스미요시 주택에는 몇 가지 독특한 특징이 있다.

첫 번째는 외부공간과의 연결성이다. 방에서 화장실로 이동하려면 반드시 천장이 없는 공간을 거쳐야 한다. 우산을 쓰지 않으면 비를 맞을 수밖에 없다. 왜 방과 방 사이를 이동할 때 억지로 밖을 나와야 할까. 그가 가지고 있는 독특한 건축 철학 때문이다.

"현대인들은 자연과 분리되어 실내 공간에서만 살아간다."

건축가 안도 다다오의 말대로 현대인들은 고작 몇 미터도 안 되는 천장을 가진 실내 공간에서 산다. 하늘을 바라보지 못한 채 살면 반드시 답답하다고 느낄 수밖에 없다. 그 결과, 현대인들은 더 넓은 집을 갈망했다.

현재 일본은 택지 부족 현상으로 아주 골머리를 앓는다. 이러한 현상의 대안으로 떠오른 것이 스미요시 주택이었다. 스미요시 주택은 집 공간의 평수를 늘리는 대신 높이를 무한대로 늘렸다. 천장을 보며 살아가는 현대인들에게 푸르른 하늘을 보도록 했다. 집 공간이 좁아도 마치 넓은 곳에 사는 것과 같은 경험을 제공한 것이다. 이 얼마나 놀라운 일인가.

다음으로 노출 콘크리트 공법이다. 노출 콘크리트 공법이란 별도의 *마감재를 쓰지 않고 콘크리트를 그대로 드러내는 방법이다. 마감재를 쓰지 않아 환경에 이롭다는 장점이 있지만 콘크리트의 거친 질감과 차가운 느낌 때문에 대중에게 외면받았다. 하지만 안도 다다오는 그만의 독특한 노출 콘크리트 공법으로 대중화를 이끌었다. 노출 콘크리트 공법의 특징은 크게 두 가지로 나눌 수 있다. 첫 번째, 특수 왁스를 발린 거푸집을 사용함으로써 거친 표면을 대리석처럼 매끈하게 만든다. 두 번째, 주변에 있는 자연 조형물과 빛을 활용해 건물을 짓는다. 앞서 본 스미요시 주택에 하늘을 보이도록 한 예시는 두 번째 특징이다.

*마감재 : 마무리 공사를 하는 건물의 실내와 겉면을 꾸미는 데 쓰는 재료.

강원도 원주에 있는 "뮤지엄 산"에서도 차가운 콘크리트와 자연의 신비한 조화를 몸소 느낄 수 있었다. 교회 선생님들과 함께 강원도 원주로 여행을 갔다. 그때 우연히 들렀던 곳이 뮤지엄 산이다. 뮤지엄 산은 노출 콘크리트 공법으로 지어져 있었다. 난 속으로 '정말 안도 다다오스럽게 지었다.'라고 생각했는데 다름 아닌 안도 다다오가 직접 지은 것이었다. 세상에, 진짜가 나타났다! 안도 다다오의 건축물을 죽기전에 꼭 한번 보고 싶었다. 그런데 이렇게 우연히 마주치다니. 생각지도 못한 선물이었다.

입구에서 뮤지엄 산으로 가려면 도보로 5분 정도 걸어야 한다. 새파란 하늘이 보이는 하얀색 자작나무 길을 걸었다. 주위엔 맥문동이 흐드러지게 피었고 길가에 흐르는 물속엔 새카만 흑색 자갈이 촘촘히 박혀있었다. 뮤지엄 산으로 들어가는 입구에는 사람 인 모양의 조형물이 있었다. 아치 사이로 걸어가자 신기하게 흑색 자갈들이 박혀있는 물 위로 파란 하늘이 비쳤다. 지금 내가 물 위를 걷고 있는 건지 하늘을 걷고 있는 건지 모를 황홀감이다. 그는 자신의 신조대로 자연을 건축으로 삼았다. 자연이 건축이고 건축은 자연이 된다. 뮤지엄 산에 들어가지도 않았는데도 그의 건축 철학을 몸소 느낄 수 있었다.

내부는 어떤 모습일까. 산 내부는 노출 콘크리트 기법으로 지어졌다. 회색 콘크리트임에도 불구하고 공사장의 느낌은 들지 않다. 건축 내부를 천천히 걸었다. 콘크리트 사이로 들어오는 빛에 따스함을 느꼈다. 곳곳에는 큰 창을 배치했다. 바깥 풍경을 경험할 수 있도록 설계한 것이다. 안에서 바라본 바깥 풍경은 밖에서 절대 경험할 수 없는 것이었다. 햇살과 하늘의 소중함이다.

구불구불 미로를 거닐다 보면 삼각형으로 되어있는 하늘 천장을 찾을 수가 있다. 잔잔한 음악이 흐르고 밑바닥은 회색 자갈돌을 촘촘히 깔아 두어 마치 외딴 행성에 온 것 같은 느낌을 준다. 전시장 바깥으로 나오면 계단식 논처럼 되어있는 워터가든을 볼 수 있다. 물 위에 비치는 뮤지엄 산과 원주의 드넓은 산맥을 바라보면 마치 구름 위를 떠다니는 듯하다. 워터가든 옆에는 작은 카페가 있었다. 그곳에서 커피와 쿠키를 먹었다. 차가운 콘크리트로도 자연의 따스함을 느낄 수 있었다.

건축의 낭만은 단순히 집을 짓는 행위가 아니다. 건축가가 가진 철학을 눈에 보이는 형태로 남김으로써 좋은 경험을 제공하는 일이다. 그가 우리에게 남기고자 했던 낭만은 무엇이었을까.

다다오가 지은 건물은 서울의 모습과 같았다. 신입생, 처음으로 상명대로 향했던 날. 시청역 9번 출구 밖에 펼쳐진 광경은 아직도 생생하다. 고막 깊은 곳까지 전해지는 경적과 북적대는 소리. 시커먼 파도처럼 흐르던 8차선 도로와 기차처럼 줄지어가는 버스들. 메타세쿼이아 숲처럼 솟아오른 고층 건물들까지. 도심 밖 모든 장면이 나를 압도했다. 그날의 서울은 나를 집어삼키며 말했다. "너는 결코 이 콘크리트 밖을 벗어날 수 없을 것이라고." 하지만 난 자연과 담을 쌓은 도심에 굴복하지 않았다. 지하철 출구를 나서면 하늘의 색깔을 확인했다. 한강을 건너는 기차 안에서는 잠깐 이어폰을 빼고 강을 통과하는 소리에 온 신경을 집중했다. 가끔 빌딩 숲 사이로 비춰오는 노을빛에 눈물을 글썽였다. 다다오는 자신의 작품을 통해 현대인들의 슬픈 낭만을 그렸다. 콘크리트를 벗어날 수 없다면 햇살과 하늘의 소중함을 느끼며 살자고. 콘크리트로 담을 쌓아도 우린 자연과 멀어질 수 없을 테다.

콘크리트 바깥에 비치는 자연의 모습에 감사할 줄 아는 일. 그것이 자연과 더불어 살아가는 낭만 아니었을까.

나만 책이 안 읽히는 건가?

우리는 끊임없이 무언가를 읽는다. 유튜브, SNS, 각종 인터넷 기사들. 종이의 활자보다 휴대폰 화면을 빠르게 스크롤해서 읽는 것에 익숙하다. 디지털 시대에 종이책을 읽지 않는다고 부끄러워해야 하는 걸까? 책을 읽지 않으면 난독증이 생긴다. 1년에 100권씩 읽었던 사람도 마찬가지다. 서울대학교 자율전공학부의 장대익 교수는 책 읽기가 뇌 성장에 도움을 준다고 말했다.

"뇌는 20대까지만 자라는 것이 아니라 계속 변하죠. 지금부터 저글링을 일주일만 해도 변하는 게 뇌입니다. 따라서 20대 이후에도 꾸준한 책 읽기는 필요해요. 책 읽기는 몰입의 기능이자 깊이 사고하는 기능을 발전시키기 때문이죠."[15]

책 읽기를 힘들어하는 사람의 특징은 무엇일까. 먼저 스마트폰을 자주 본다. 펭귄 밀크라는 말을 아는가? 부모 펭귄이 물고기를 먹을 수 없는 새끼를 위해 음식물을 반쯤 소화시켜 토해주는 이유식이다. 스마트폰은 마치 펭귄 밀크와 같다. 좁은 화면을 빨리 스크롤해서 내리는 것은 단어를 곱씹는 것보다 문장을 훑어보도록 만든다.

목적에 따른 독서도 읽기의 흥미를 떨어트린다. 초등학생 때는 동화책을 스스로 펼친다. 하지만 중학생이 되면 자신의 흥미보다 교과와 연관된 독서를 한다. 고등학생은 더 심각하다. 전체 나이별 통계에 따르면 고등학생(17~19세)이 제일 낮은 독서량을 기록했다. 독서는 수능과 관련 없기 때문이다. 20대 이후 성인들의 독서는 승진과 시험을 위해서였다. 사람들은 목적이 없으면 책을 읽지 않는다.

박웅현 작가의 말에 따르면 "책은 한 영혼이 우리에게 들려주고 싶은 말을 잘 정리해 놓은 것"이다. 그가 정의한 독서란 "책의 이야기가 내 속에서 어떻게 변화하는지를 보는 것"이다. 그는 다독보다 정독을 권했다. 한 권을 읽더라도 천천히 읽는 것이 중요하다는 말이다. "친구가 되려면 시간이 걸리잖아요. 책도 마찬가지예요. 책과 친구가 되려면 그만큼 시간이 걸려요."[16]

나는 여섯 살 때 처음 책과 친구가 되었다. 아버지는 날 무릎 위에 앉히고 동화책을 읽어주셨다. 난 아직도 그때 읽었던 동화 내용을 기억한다. 《꽁지 닷발 주둥이 닷발》이란 동화이다. 이야기를 간략히 말하자면 이렇다. 아주 먼 옛날 꽁지 닷발, 주둥이 닷발이란 큰 새 두 마리가 있었다. 집채만 한 부리를 가진 그 녀석들은 아들이 밭일하러 간 사이 어머니를 납치했다. 아들은 큰 새 두 마리가 사는 동굴을 발견했고 새들이 잠들었을 때 가마솥에 태워 죽였다. 어머니를 구한 아들은 재가 돼버린 새를 돌절구에 빻아 가루로 만들고 바람에 날려 보낸다. 그 가루가 현재 주둥이가 뾰족한 모기가 되었다는 무시무시한 이야기. 동화가 잔인했던 탓일까. 아니면 꽁지 닷발이란 발음을 힘겨워하시는 아버지의 모습 때문이었을까. 19년이 지났지만 난 아직도 그때 일을 추억한다. 어떻게 하면 책 읽기를 즐길 수 있을까. 바로 책과 좋은 친구가 되는 일이다. 처음부터 서울대 권장도서 100권을 읽으려고 하면 망한다. 처음부터 어려운 책을 읽으면 잘 안 읽히고 재미없다.

아빠가 되면 하고 싶은 일이 있다. 내 자식을 무릎 위에 앉혀 오순도순 동화책을 읽는 일. 남들이 좋다는 책을 읽히는 것보다 책과 좋은 추억을 같이 만들고 싶다.

해바라기엔 향기가 없다

비가 흠뻑 내린
어느 봄날 길을 걷다 보면
보도블록 모퉁이에 핀
빼꼼한 풀꽃들에서
알록달록한 향기가 나요

구둣발에 치여 어느새 지쳐버린 파란색 향기
향기 맡아주는 이 없어 슬퍼하는 보라색 향기
따듯하게 뿌리부터 데펴주는 햇살 속 노란색 향기
비그친 풀내음처럼 생생한 초록색 향기
누군가의 띄운 미소가 보이는 붉은색 향기

유채꽃의 노을 향보다
좋다고 말할 수는 없겠지요
누군가의 예쁜 프로필 사진 속
배경이 되어주기에도 충분하진 않을 거예요

그 대신 기다려 줄 수는 있을 거예요
걸음에 치여
삶에 치여
차마 하늘을 보지 못하겠을 때
땅으로 꺼지는 한숨에
향기로 화답해 줄 수는 있을 거예요
풀꽃에게 주어지는 자리는
우리 한숨이 떨어지는 곳이거든요

그래서 나는 이 풀꽃 향을 좋아합니다
허리를 낮추고 눈을 낮추어야
그제야 그 향기를 알게 해주기 때문입니다

그리고 그 향기는
단 한 점도 우리네 삶이 아닌 것이 없기 때문입니다

이 시는 제 친구 정우진이 쓴 시를 각색한 것입니다. 우진아 고맙다. 늘 시인처럼 살기
를.

아이들이 수학을 포기하는 진짜 이유

수포자, 수학을 포기하는 사람의 줄임말이다. 수학을 포기하는 학생들이 너무 많아서 국어사전에 수포자라는 단어가 등재되었을 정도다. 학생들은 언제부터 수학을 포기할까. EBS 다큐 〈대한민국 수학 교육 보고서_포기한 사람은 누구인가〉 제작진들은 초중고학생들을 대상으로 설문 조사를 실시했다. 그들은 초등학교 저학년 학생들에게 수학이 재미있다고 생각하면 손을 들어달라고 부탁했다. 몇 명을 제외한 학생 대부분이 손을 들었다. 초등학교 고학년 학생들은 절반 정도 되는 학생들이 손을 들었다. 중학교 2학년부터는 절반을 넘어섰다. 고등학교는 더욱 심각했다. 분명한 건 학생들은 처음부터 수학을 포기하진 않았다. 도대체 학창 시절 동안 무슨 일이 있었던 걸까.

학생들은 수학을 배우는 이유를 모른다. 학생들에게 수학을 가르칠 때 자주 듣는 말이 있다. "사칙연산만 할 줄 알면 되지 수학은 도대체 배워서 어디에다가 써먹죠? 대학입시 그뿐인가요?" 온라인 게임에서 아이템을 발견하듯 학생들 스스로 수학의 개념과 용어를 발견할 때 흥미가 생긴다. 그러나 학창 시절 우리가 배워온 수학은 오로지 대학 입학시험을 위한 주입식 수학이었다. 현행 대학 입학 시험은 상대평가다. 상대평가란 석차를 매기는 평가방법이다. 친구가 나보다 더 많은 문제를 맞히면 나의 성적은 내려간다. 상대평가에서 친구는 협력자가 아닌 경쟁상대에 불과하다. 학생들은 수학의 개념을 발견하는 기쁨보다 수능에서 한 문제라도 더 맞히는 게 이득이라고 생각한다. 성적이 좋아야만 자신의 성과를 인정받을 수 있으니까. 수학의 흥미와 성적은 떨어지고 나가야 할 진도는 늘어나는 악순환이다. 수학을 배워야 할 이유를 찾지 못한다. 결국 수학을 포기한다.

　아이들이 수학을 포기하는 이유는 학교의 평가방법 때문이다. 평가는 학습의 중요한 동기이다. 학생들은 평가를 통해 나의 모르는 것을 점검하고 더 배울 기회를 얻는다. 올바른 평가는 학생들의 성장에 좋은 밑거름이 된다. 그런데 학교는 무려 초중고 12년 동안 단순한 줄 세우기의 상대평가를 고수해왔다. 지금의 방법대로라면 수포자는 더욱 늘어날 것이다. 채사장 작가의 《시민의 교양》에 따르면 학생들은 학교에서 배운 내용은 잊어버려도 평가방식은 절대 잊지 못한다고 말했다. 그의 말대로 EBS 다큐 〈공부의 배신_나는 왜 너를 미워하는가〉을 보면 대학생들은 서로 서열을 매기고 따졌다. "야 쟤는 일반고 출신인데 성적이 꽤 높은데?", "역시 쟤는 기회균형 전형이니까 성적이 낮지." 학생들은 평가를 위해 노력한 과정보다 결과에만 집착한다. 이것이 진정한 교육인가.

자라나는 아이들을 위한 교육은 경쟁하는 방법을 알려주는 게아니다. 학교는 아이들에게 좋은 대학에 가는 것보다 지금 당장 배우고 있는 교과목의 의미를 발견할 수 있도록 이끌어야 한다. 그 시작은 학교의 평가방법을 바꾸는 일이다. 난 혼자서 고민하기보다여러 학생의 의견을 듣고 싶었다. 교육의 주체는 다름 아닌 학생들이니까. 현재 공과대학에 재학 중인 대학생들과 중고등학생들에게전화로 몇 가지 설문 조사를 했다. 질문은 다음과 같다.

수학을 어떻게 평가해야 학생들이 학교에서 수학의 즐거움을 느낄까?

학생들의 대답을 통해 어느 정도 실마리를 찾을 수 있었다. 의견을 정리하자면 이렇다. "객관식보다 서술형으로 학생들의 생각을물어야 한다. 교사는 점수를 매기기보다 아이들의 성장 과정을 평가해야 한다." 지금 학생들은 좀 더 다양한 방법으로 평가받기를원한다.

OO고등학교 교사 B는 학생들이 중간고사와 기말고사 때가 아니면 좀처럼 공부에 집중하지 못한다고 말했다. B는 학생들을 위해 평가방법을 바꿨다. 지필 평가는 한 번만 보고 과정 중심 평가를 여러 번 진행했다. 과정 중심 평가란 교사가 여러 번의 다양한 평가로 학생들의 성장 과정을 살피는 방법을 말한다. B는 학생들이 예전보다 노력하는 모습을 자주 보였다며 즐거워했다. 개별 피드백도 꼼꼼히 진행한 결과 학생들의 학습 성취도가 눈에 띄게 증가했다. 학교는 수능과 같이 일관된 유형으로만 학생들을 평가해서는 안 된다. 찍어서 정답을 다 맞혔다고 좋아한다면 도대체 무슨 의미가 있을까. 평가란 더 많은 정답을 맞히기보다 내가 어느 부분을 모르는지 점검하는 과정의 학습 성취도와 관련이 높아야 한다.

———— ✎ ————

우리가 아이들에게 물려줘야 할 세상은 정답만을 요구하는 세상이 아니다. 아이들의 부족함을 받아주는 세상. 아이들의 삐뚤빼뚤한 수학 풀이가 교실에 가득할 수 있는 세상을 꿈꾼다.

다그치기보다 보듬어주세요

고등학생 때 일이다. 8시 30분 즈음이면 담임선생님이 교실 뒷문에 서 계셨다. 지각하는 학생들을 잡기 위해서였다. 30분이 넘어서 오는 친구들은 "이눔 시키 오늘은 또 왜 이렇게 늦었어!"라는 구박과 함께 선생님의 매서운 등짝 스매시를 맞았다. 어느 날, 선생님의 등짝을 맞은 제 친구는 "아 선생님! 내일부터 안 늦을게요."라고 툴툴거렸다. 물론 그 친구의 말은 거짓말이다. 다음날 또 늦었다. 담임선생님은 사회생활 중 기본이 약속을 지키는 것이라며 머리를 이리저리 흔들며 포효했다. 불을 뿜는 공룡처럼 말이다. 하지만 지각하던 친구들은 또 지각했다.

친구들의 행동을 생각해보았다. 지각은 약속을 지키지 않는 나쁜 행동임과 동시에 습관이다. 습관을 고치는 것이 쉬운 일은 아니다. 하지만 지각하지 않는 습관은 만들 수 있다. 말장난 같아 보이지만 우리의 사고방식과 관련 있다. 매번 지각하며 선생님의 호통을 들은 학생들은 어떤 생각을 할까. 아마 이렇게 생각할 테다.

어차피 난 일찍 갈 수 없어. 매번 지각하는걸. 또 선생님이 혼내실 거야. 난 뭘 해도 안 될 거야.

부정적인 생각은 현실을 받아들이지 않게 하고 나쁜 습관을 고칠 수 없도록 만든다. 그렇다면 매번 지각하는 학생을 어떻게 지도할 수 있을까. 우선 교사는 아이의 행동을 절대 바꿀 수 없다. 불가능하다. 그렇다고 아이를 내버려 두란 뜻은 아니다. 교사는 아이가 스스로 행동을 바꿀 수 있도록 격려할 수 있다. 비슷해 보여도 완전히 다르다. 격려는 긍정적인 생각을 심어준다. 긍정적인 사고란 내 존재 방식을 그대로 인정하는 일이다.

매번 지각하는 학생이 있다면 이런 약속을 할 것이다. "OO야. 매번 지각해서 속상하지? 헐레벌떡 뛰어오는 모습에 선생님도 가슴이 아프다. OO에게 부탁할 게 하나 있어. 선생님과 약속 하나만 하는 거야! 10분 정도만 빨리 나오는 습관을 만들어보는 건 어때? 물론 OO가 힘들 수 있겠지만 OO가 약속을 지키면 선생님이 정말 기쁠 거 같아." 학생이 이 말을 들으면 아마 이렇게 생각하지 않을까.

그래 맞아. 난 매일 지각하는 습관이 있어. 내 단점을 인정하자. 내가 노력하면 바꿀 수 있을 거야. 선생님도 기대하고 있잖아. 일찍 오는 습관을 한 번 만들어볼까?

———————— ✍ ————————

다그치기보다 보듬어야 한다. 우리 삶도 마찬가지다. 친구가 약속을 늦었다고 해서 무작정 화내기보다 섭섭한 마음을 말해보는 건 어떨까. "네가 날 존중하지 않는 것 같아서 무척 속상해." 그럼 친구는 부끄러워 스스로 행동을 바꿀 거라고 믿는다.

헌책방 골목에서

난 당신이 읽었던 책을 읽는 걸 좋아해. 당신이 책을 읽으며 연필로 그은 줄. 글 옆에 끄적인 메모들과 문장 위에 그려둔 반짝이는 별들. 그 흔적을 따라가며 난 생각하지. 당신은 이 문구가 마음에 들었구나. 헌책방엔 그런 흔적들이 많아서 좋았어. 빨리 가고 싶다. 종이 냄새와 사람 냄새가 물씬 흘러넘치는 그곳.

나는 사범대생이 아닙니다

수능이 끝나고 졸업을 앞둔 고등학교 3학년 때였다. 3교시 영어 수업이 끝나고 친구와 함께 서울 여행계획을 이야기하며 화장실을 가고 있었다. 수학 선생님이 우리를 향해 걸어왔고 난 친구와 함께 수다를 떠느라 선생님을 못 보고 지나쳤다. 갑자기 선생님이 날 불렀다. "배재윤 너 잠깐만 이리 와봐." 선생님은 다짜고짜 나를 나무랐다. "넌 왜 선생님을 보고도 인사를 안 하고 지나치니?" 무척 당황스러웠다. '난 평소엔 인사를 꼬박꼬박 잘하는 학생이다. 친구와 이야기하느라 선생님을 보지 못했다.' 등등의 핑계를 대고 싶었다. 하지만 억울했던 탓인지 말이 쉽사리 나오질 않았다. 선생님은 날 보며 차근차근히 말했다.

"그래 재윤아. 인사를 안 했다고 너무 한다는 생각이 들 수도 있겠지. 하지만 다른 학생들은 몰라도 너는 달라야 해. 사범대에 합격했다고 했지? 넌 이제 학생이 아니라 예비교사야. 인사받을 사람이 되고 싶으면 네가 먼저 인사를 하는 사람이 되어야 해." 난 고개를 푹 숙이며 고갤 끄덕였다.

섭섭한 감정을 느꼈다. 사범대에 합격해서 축하한다는 말 대신 괜히 트집만 잡는 것 같았다. 하지만 그날 선생님이 내게 해주신 말씀은 너무나도 중요한 가르침이었다는 걸 사범대생이 되고 나서야 깨달았다. 귀찮다고 길바닥에 쓰레기를 버려서는 안 된다. 아이들에게 쓰레기를 길에 버리지 말라고 가르칠 테니까. 욕도 하지 않아야 한다. 아이들에게 바른말 고운 말을 쓰라고 가르쳐야 하니까. 어른에게 인사를 잘해야 한다. 난 많은 학생에게 인사를 받는 사람이 될 테니까. 그날 선생님이 내게 강조했던 것은 예비교사라면 꼭 갖춰야 할 마음가짐이었다.

"Education is not taught but caught."라는 말이 있다. 해석하자면 "교육은 교사가 가르치는 것이 아니라 학생들이 발견하는 것이다."라는 말이다. 사교육이던 공교육이던 교사라면 학생들이 모범을 볼 수 있도록 본을 보여야 한다. 즉 교사는 성적을 올리는 방법을 알려주기보다 학생이 기본에 충실한 사람이 되도록 보여주는 일이 중요하다. 사범대생인 난 그날의 가르침을 기억하며 이 말을 나의 신조로 삼았다.

66

나는 사범대생이 아니라 예비교사다

뒷모습이 아름다운 사람

난 대학입시로 엄청난 스트레스를 받았다. 수학교육과를 가고 싶었지만, 성적이 되지 않았다. 담임선생님은 일단 수학과로 진학해서 교육대학원을 가는 방법을 제안했지만 난 듣지 않았다. 수시 원서를 모두 수학교육과로 넣었다. 수학교육과를 갈 수 없다면 재수를 하기로 했다. 실낱같은 희망을 부여잡는 기분. 한숨을 쉬는 날이 많았다.

시간은 흐르고 단풍이 물드는 늦가을이 왔다. 수능이 얼마 남지 않았다는 소식이다. 불어오는 찬 바람에 몸이 시리고 마음은 부르르 떨렸다. 몹시 불쾌한 기분이다. 오늘은 기분이 무척 좋지 않으니 야간자율학습은 도망쳐야겠다. 터덜터덜 교실 밖을 빠져나왔다.

운동장 옆에 우뚝 서 있는 은행나무들을 봤다. 난 잠깐 걸음을 멈췄다. 노을빛은 선선하게 은행나무 사이를 비추고 학교 주변은 전부 노랗게 물들었다. 세상은 이토록 아름다운데 왜 내 마음은 까맣게 타들어 갈까. 은행나무 앞에 주저앉아 엉엉 울고 싶었다.

바로 그때 은행나무길 사이로 내게 너무나도 익숙한 뒷모습이 보였다. 내가 제일 사랑하는 수학 선생님이었다. 그의 모습을 찬찬히 살폈다. 슬로비디오처럼 은행잎은 가을바람에 천천히 떨어지고 그는 인도에 떨어진 은행잎을 밟으며 걸었다. 마치 영화 속 한 장면 같았다. 노을빛이 강렬했던 까닭일까. 난 도저히 그를 똑바로 볼 수 없었다. 그가 노을빛 사이로 사라진 뒤, 난 결심했다. 훗날 한 명, 한 명 가르칠 아이들에게 뒷모습을 보여주는 교사가 되겠다고.

그날 선생님이 내게 보여줬던 뒷모습은 나를 향한 마지막 수업이었다. 그 마지막 가르침을 여기에 새긴다.

❝

재윤아 너는 뒷모습이 아름다운 사람이 되어라.

작은 퍼즐이 모이면

거듭제곱이란 말이 있어. 같은 숫자를 여러 번 곱하는 식을 간단하게 나타낸 것을 거듭제곱이라 말해. 만약 2를 네 번 곱했다면 2의 오른쪽 위에 네 번 곱한 횟수 4를 쓰는 거야.

거듭제곱을 알면 2라는 아주 작은 숫자가 얼마만큼 큰 숫자로 변하는지 쉽게 알 수 있어. 2를 두 번 그리고 세 번 곱해보자. 아직까진 작은 숫자로 느껴질 거야. 2를 두 번 곱한 4와 세 번 곱한 8은 2와 같은 한 자리 숫자에 불과하니까. 그런데 2를 열 번 곱하면 1024라는 네 자리 숫자가 되지. 백 번 곱하고 만 번 곱하면 어떻게 될까. 우리가 감히 헤아릴 수 없는 엄청난 숫자가 만들어질 거야.

2를 끊임없이 곱하면 헤아릴 수 없는 숫자가 되듯이 사소한 것에서부터 시작한 일은 수많은 삶의 의미를 만들어내고 있을 거야. 그럼 우린 몇 번의 2를 곱하며 삶의 의미를 만들어내고 있을까.

학교를 마치고 집에 돌아가는 길. 고소한 냄새가 나는 포장마차가 보이면 떡볶이와 순대를 먹으며 깔깔 웃었어. 덜컹거리는 버스에서 웹툰을 보며 시간을 보냈고 거리에 핀 꽃을 보면 살며시 눈을 감았어.

———— ✐ ————

작은 퍼즐 조각들이 모여 멋진 그림을 완성하듯.
*어쩌면 이런 사소한 것에서 세상이 달라지는지도 몰라.

*악동뮤지션 〈사소한 것에서〉 가사 일부를 가져옴

방실거리며 살아야지

초등학교 2학년 박호현 학생이 쓴 동시 《공짜》를 읽고 감상문을 썼습니다.

선생님께서 세상에 공짜는 없다고 하셨다

그러나 공짜는 정말 많다

공기 마시는 것 공짜

말하는 것 공짜

꽃향기 맡는 거 공짜

하늘 보는 것 공짜

나이 드는 것 공짜

바람 소리 듣는 것 공짜

미소 짓는 것 공짜

꿈도 공짜

개미 보는 것 공짜

호현아. 어렸을 적 세상에 공짜는 없다는 말을 자주 들었어. 하지만 네 말처럼 우리가 자유롭게 누릴 수 있는 게 얼마나 많던지. "미소 짓는 것 공짜."라는 네 말처럼 *방실거리며 살아가야지.

*방실거리다 : 입을 예쁘게 살짝 버리고 소리 없이 밝고 보드랍게 자꾸 웃다.

뾰로롱 반짝이는 마음

동시 초등학교 3학년 배재윤

하나 둘 셋 넷
별을 세어봅시다
내 마음속으로 별을 세어보아요
저기 저 끝까지 별을 세어보아요
초록별 노란별 주황별
우주에도 별이 한가득

땅속에서도 별이 한가득
우물 속에도 별이 살지요
다시 한번 세어보면
내 마음도 별처럼
뾰로롱 반짝이는 마음이 생겨요

친구들과 같이 세어보자
내 마음도 친구 마음처럼 반짝이게
별은 우리 마음을 반짝이게 해주는 좋은 친구죠

3·1 운동

희망이란 가장 낮은 자리에서 피어나는 꽃
밟히고 뭉개져도 내 향기를 절대 잃지 않아

코로나 19가 우리에게 왔을 때

zoom 화상회의로 동아리 친구들을 만났다. 화면에 비친 친구들의 모습을 낯설어했던 때가 언제였을까. 화면 속 친구들의 모습이 이젠 익숙하다. 한 친구가 피식 웃으며 말했다. "진짜 나는 이 화상회의도 5월이면 다 끝날 줄 알았다? 근데 봐봐. 우린 아직도 이러고 있잖아. 이러다 영영 못 만나는 거 아니야?" 친구의 말을 듣고 문득 알베르 카뮈가 쓴 소설 《페스트》가 생각났다. 친구가 탄식하며 뱉었던 말이 소설에 그대로 녹아 있었기 때문이다. 《페스트》는 1940년대 오랑 시에 페스트가 창궐한 사건을 다루고 있다. 오랑 시의 폐쇄조치가 무기한 지속되자 사람들은 이런 반응을 보였다.

"사람들은 하나같이 단조로운 감정만 느꼈다. 이제 끝날 때도 됐는데 하고 시민들은 되뇌었다. 재앙 기간에 집단적 고통이 끝나기를 바라는 것은 당연하기도 하고. 또 실제로도 그것이 끝나기를 바랐던 것이다. 가혹한 시간이었다. 결국은 무기력 상태로 돌아가 페스트 속에 틀어박혔다."[17]

알베르 카뮈는 70년 전에 코로나 19 사태를 예견했던 걸까. 페스트란 단어를 코로나로 바꿔도 전혀 어색하지 않다. 소설 속 등장하는 여러 가지 상황이 지금 시국과 너무 비슷하여 소름이 돋을 정도다. 카뮈는 2차 세계대전의 끔찍한 경험을 페스트로 표현했으며 전염병, 전쟁과 같은 재앙이 닥쳤을 때 일어나는 대중들의 반응을 사실적으로 묘사했고 카뮈는 노벨 문학상을 받았다. 신경 인류학자 박한선은 《페스트》를 굉장히 사실주의적인 소설로 평가했다.

"소설을 보면 재미를 위해 과장되게 묘사하거나 과학적으로 맞지 않는 부분이 있어요. 그런데 페스트는 전염병이 퍼졌을 때 일어나는 집단적 심리적 반응을 정확히 묘사하고 있습니다."[18]

《페스트》는 소설이기에 결말이 있지만 코로나 19는 우리가 직면한 현실이며 아직 진행 중이다. 우린 이 사태를 어떻게 하면 잘 마무리 지을 수 있을까. 박한선은 감염병을 대하는 대중의 반응을 다음과 같이 설명했다.

"감염병이 퍼지면 대중은 '혹시 내가 감염되진 않았을까.'라는 불안이 생깁니다. 그리고 혐오가 생기죠. 감염되거나 감염될 가능성이 있는 사람을 배제하거나 멀리하려는 본능이에요. 이러한 대중의 심리 변화가 소설에 아주 잘 드러납니다."[19]

감염병으로 인한 불안에 대해 명확히 짚어보자. 《페스트》에서는 대중의 불안한 심리상태를 잘 표현했다.

"예전보다 술 소비량이 엄청나게 늘었다. 어느 카페에서 양질의 포도주가 세균을 죽인다고 써 붙였다. 전염병을 예방하는 데 술이 효과적이라는 것을 이미 상식처럼 받아들이던 대중에게 그 생각은 더욱 확고해졌다. 새벽 두 시쯤이면 술꾼들이 카페에서 쫓겨 나와 거리를 메웠다."[20]

술을 마시면 균이 죽을 거라는 말도 안 되는 생각이 이란에서 실제로 일어났다. 소독용 알코올을 마셨단 사실에 더 충격이다.

"이란에서 5011명이 소독용 알코올을 마셨다. 525명이 사망했고 95명이 실명했으며 405명은 신장에 문제가 생겨 투석 치료를 받고 있다. 게다가 고농도 알코올 섭취로 인한 사망자 수가 매우 많았다. 이란 보건부 대변인은 알코올 섭취는 코로나 19 치료법이 아니고, 오히려 치명적일 수 있다고 경고했다."[21]

우리는 불안이란 감정에 주의할 필요가 있다. 그 감정을 통제하지 못하면 상대방을 향한 혐오로 드러난다. 혐오가 드러난 소설 속 대목을 그대로 가져왔다.

올빼미 신사 오통 씨가 한동안 보이지 않더니 이번에는 훈련받은 강아지 같은 두 아이만 데리고 호텔에 나타났다. 사정을 알아보니, 그의 아내가 친정어머니를 간호했지만 결국 돌아가셨고, 아내는 지금 격리되어 있었다. "마음에 안 들어요." 지배인이 호텔 투숙객인 타루에게 말했다. "격리 중이든 아니든 그 여자도 감염되었을 수 있잖아요. 결과적으로 저 사람들도 마찬가지라고요." 타루는 지배인에게 그런 관점에서 보면 모든 사람이 다 의심스럽다고 지적했다. 그러나 지배인은 단호했고, 그 문제에 대해 매우 확고한 관점을 갖고 있었다. "아니에요, 선생님. 선생님이나 저는 의심스러울 게 없지만, 저 사람들은 그렇지 않죠."[22]

혐오의 감정은 사이버 공간에서 잘 드러났다. 악성 댓글로 비수를 찌른 것이다. 대구에 코로나 19에 감염된 두 아이의 엄마가 있었다. 그녀는 대부분의 생활을 집에서 보냈는데도 코로나 19에 감염되었다. 원인은 남편이었다. 그는 회사 동료로부터 감염되었고 발열 증상 없이 심한 근육통과 감기를 앓았는데 다름 아닌 코로나 19였단 사실이 드러났다. 그녀는 아이들 걱정에 눈물이 났다. 바이러스에 대한 두려움보다 앞으로의 격리 생활과 추가 감염 가능성에 대한 불안으로 잠을 설쳤다. 그녀의 경로가 세상에 공개되었다. 대중들의 반응은 싸늘했다.

"왜 이렇게 싸돌아다녔냐. 아프면 집에 가지 병원에 들렀다가 마트는 왜 가냐."

그녀는 나뿐만 아니라 대구에 산다는 이유만으로 위축되고 상처받았을 사람들을 생각하니 마음이 아프다고 고백했다.

사람들의 불안은 혐오로 번졌다. 그런데 우리가 혐오해야 할 대상은 코로나지 결코 사람이 아니다. 감염자는 우리가 혐오할 대상이 아닌 격려해야 할 대상이다. 다행히도 그녀가 브런치에 남긴 글에는 응원하는 댓글이 가득했다.

"이 또한 지나갈 거예요. 더 건강해지셔서 예쁜 아가들이랑 만나시길 바랄게요.", "확진자의 글을 처음 읽어봐요. 죄송한 마음이 드네요. 걸릴 걸 알면서 돌아다닌 사람들을 원망했던 사람 중 한 명이었습니다. 이렇게 마음고생을 하시는 분들이 많았을 거란 생각이 드네요. 얼른 완치하시길 바랍니다."

코로나 19는 개개인이 아닌 모두가 함께 직면한 문제이다. 이 사실이 개인의 불안과 타인을 향한 혐오에 굴복되어서는 안 된다. 이 사태를 감염자 개개인의 문제로 돌릴 것인가? 이것은 우리의 양심의 문제이다. 소설에서도 페스트를 이길 유일한 방안은 우리의 양심을 지키는 일이라고 말한다. 소설 속 랑베르란 인물의 시점으로 살펴보자. 그는 타지에서 온 신문기자이다. 페스트로 오랑 시가 봉쇄되자 꼼짝없이 도시에 갇혔다. 그는 의사 리외에게 자신이 페스트에 걸리지 않았음을 증명하는 소견서를 떼어달라고 부탁했다. 자신의 고향에 사랑하는 아내가 있다는 이유였다. 하지만 리외는 랑베르가 병에 걸렸는지 안 걸렸는지 판단할 수 없기에 확인서를 써줄 수 없다고 거절했다. 랑베르는 리외에게 화를 내며 말했다.

"서로를 사랑하는 두 사람에게 이런 이별이 무엇을 의미하는지 선생님은 아마 이해하지 못하실 거예요. 선생님은 다른 사람의 사정은 생각하지 않고, 헤어진 사람들을 고려하지도 않으세요. 두고 보세요! 저는 반드시 이 도시에서 나가고 말 겁니다."23)

랑베르는 불법적인 방법으로 탈출을 시도했지만 번번이 실패했다. 그러다 오랑시의 정세를 파악해야겠다고 생각한 그는 의사 리외와 민간인 보건자원봉사대를 조직한 타루를 집으로 초대했다. 랑베르는 타루가 조직한 보건대 이야기를 듣고 코웃음을 쳤다.

"당신들은 지금 영웅놀이에 빠져있군요. 나는 영웅주의를 믿지 않아요. 내가 관심 있는 건 사는 것. 오로지 사랑하는 것을 위해 죽는 것입니다." 그러자 리외는 피곤한 표정을 지으며 말했다. "랑베르! 이 모든 일은 영웅 놀이와 관계없습니다. 이것은 성실성의 문제예요. 페스트와 싸우는 유일한 방법은 성실성입니다. 성실성이란 그저 자신이 맡은 직분을 완수하는 것이죠. 나는 의사니까 사람들을 치료할 뿐이에요. 타루는 보건대의 일원으로서 아픈 사람들을 돕는 것이고요."24)

리외가 자리를 나갔다. 타루가 그의 뒤를 따라 밖으로 나가려다 생각이 바뀐 듯 신문 기자에게 몸을 돌리며 말했다. "리외의 부인이 여기서 수백 킬로미터 떨어진 요양소에 있다는 걸 아십니까?" 다음 날, 아침 랑베르는 의사에게 전화를 걸었다. "이 도시를 떠날 방법을 찾을 때까지 선생님과 함께 일해도 괜찮겠습니까?"25)

추측하건대 랑베르는 깨닫지 않았을까. 혼자서 행복하다면 수치스러울 수 있다고. 다른 사람이 이토록 슬픈데 어떻게 혼자 행복을 찾을 수 있냐는 말이다. 결국 그는 탈출의 기회가 찾아왔음에도 오랑시에 남기로 결정했다. 그가 의사 리외에게 남긴 말이 인상 깊었다.

"나는 이 도시에서 이방인이니까 여러분과 아무 상관 없다고 생각했어요. 그러나 이제 내 경험에 비추어 원하든 원치 않든 나도 이곳 사람이라는 것을 깨달았어요. 이 사건은 우리 모두와 관련되어있으니까요."[26]

2차 세계대전 당시 출처가 밝혀지진 않았지만 사람들에게 널리 알려졌던 시가 있다. 여기서 그들은 나치를 말한다. 세상의 부조리를 대하는 당시 사람들의 방관적 태도를 보여줬다.

그들이 처음 공산주의자들에게 왔을 때, 나는 침묵했다. 나는 공산주의자가 아니었기에
그들이 노동조합원들에게 왔을 때, 나는 침묵했다. 나는 노동조합원이 아니었기에 그들이 유대인에게 왔을 때, 나는 침묵했다. 나는 유대인이 아니었기에
마침내 그들이 나에게 왔을 때, 그때는 더 이상 나를 위해 말해줄 이가 아무도 남아있지 않았다.

지금 우리의 양심은 어떤가? 난 시를 이렇게 고쳤다. 여기서 그들은 코로나 19를 의미한다.

그들이 처음 우한에 찾아왔을 때, 나는 침묵했다. 나는 우한 시민이 아니었기에.

그들이 대구를 찾아왔을 때, 나는 침묵했다. 나는 대구 시민이 아니었기에

그들이 이태원을 찾아왔을 때, 나는 침묵했다. 나는 그들과 아무 관련이 없었기에

마침내 그들이 나에게 왔을 때, 그때는 더 이상 나를 위해 말해줄 이가 아무도 남아 있지 않았다.

지금 당장은 나와 아무 상관 없는 일처럼 보일 수 있다. 나는 감염자가 아니니까. 하지만 지금도 의사 리외처럼 성실히 자신의 직분을 수행하는 분들이 계신다. 타루처럼 민간인 보건대를 조직하여 환자를 돌보는 분들도 분명 존재할 테다. 그렇다면 우리는 무엇을 할 수 있을까. 지금 당장 민간인 보건대를 조직하자는 말이 아니다. 코로나 19사태가 우리 모두의 일이라 인식하고 함께 연대하자는 것이다. 감염자에겐 이겨낼 수 있다는 따뜻한 말 한마디를. 거리를 나갈 때는 답답하더라도 마스크를 꼭 쓰고 나가기를. 그리고 이 사태가 어서 진정될 수 있도록 함께 기도하기를 바라는 것 말이다.

———————— ✏ ————————

마스크를 쓰고 거리를 걸었다. 이렇게 써진 문구를 봤다. "몸은 멀지만 마음은 가깝게" 나는 저 문구가 우리의 진솔한 양심이길 바랐다.

우리가 수평선 너머를 보는 이유

난 시간을 시계시간과 사건시간으로 이루어진 모임이라 정의한다. 시계시간이란 시계의 초침과 분침이 가리키는 시간이다. "이 또한 지나가리라"라는 말처럼 물 흐르듯이 흘러가기만 할 뿐 우리에게 아무런 의미가 없는 시간말이다. 매일 반복되는 평일 아침, 학기마다 돌아오는 시험 기간, 조별 과제, 매일 출퇴근길 지하철을 타는 시간. 시계시간은 부정적인 의미가 강하다.

이와 달리 사건시간이란 흘러가는 시간이 아닌 특정한 사건을 말하며 내게 의미가 있는 시간을 말한다.

당신이 행복했던 시간은 언제인가?

　여러 가지 사건이 떠오른다. 친구들과 여행을 갔던 날, 군대 전역일, 주말을 앞둔 금요일 저녁, 대학교 합격 날, 시험이 끝나고 친구들과 떡볶이를 먹었던 날. 우린 흘러가는 시계시간처럼 살 수도 있고 의미 있는 사건시간처럼 살 수도 있다.

　시계시간이 엄청난 의미의 사건시간으로 여겨지던 때가 있다. 고등학교 3학년 때를 시계시간처럼 여겼다. 매일 공부와 자습으로 반복되는 일상은 너무 지루하고 재미없었다. 난 오로지 수능이 끝나는 날과 대학 합격 날이라는 사건시간만 고대하며 살았다. 고3 보충수업이 끝난 후 5시 40분부터 6시 40분까지는 학교에서 저녁을 먹는 시간이었다. 학원에 다니지 않는 학생들은 6시 40분 이후에 진행되는 야간자율학습에 참석했다. 난 야간자율학습을 같이하는 친구들과 함께 저녁밥을 먹은 후 마트에 가서 아이스크림을 샀다. 그리고 근처에 있는 공원에서 운동기구를 탔다. 우린 아이스크림을 먹으며 실컷 수다를 떨었다. 해가 뉘엿뉘엿 기울어가면 다 먹은 아이스크림 막대를 들고 학교로 걸어갔다.

고등학교를 졸업하고 몇 년 뒤 그 공원에 들린 적이 있다. 운동기구는 어느새 녹이 슬었고 공원엔 사람이 아무도 없었다. 공원 앞 마트는 사라지고 은행 건물이 들어와 있었다. 같이 아이스크림을 먹던 친구들은 모두 직장인이 되어 함께할 수 있는 날보다 떨어져 있는 날이 훨씬 많았다. 아이스크림만으로 똘똘 뭉칠 수 있던 그때가 너무나 그리웠다. 시계시간처럼 느껴지던 고등학교 3학년 시절은 사실 내게 너무나도 소중했던 사건시간이었음을 이제야 깨달았다.

시간은 어떻게 보내는지에 따라 달라진다. 어쩌면 그저 흘려보낸 시간 모두가 소중한 시간이었을지도 모른다. 하지만 이미 흘려보낸 시간을 다시 잡을 수 없다. 그러니 수평선 너머로 떠오르는 해를 바라봐야지. 어제완 다른 새로운 오늘이 찾아왔단 의미다. 굳게 다짐한다. 시간을 절대 무의미하게 흘려보내는 일은 없을 거라고.

"삶은 가까이서 보면 비극이고 멀리서 보면 희극이다."

Life is a tragedy when seen in close-up, but a comedy in

longshot.

코미디언 찰리 채플린 (1889-1977)

주석과 출처

1) 하현《달의 조각》2. 낮잠 빌리버튼. 2017.01.25. p. 90.
2) 루시드 모드 몽고메리《빨강 머리 앤》김양미. 인디고. 1998.12.30. p. 446

3) 윌리엄 셰익스피어《셰익스피어 4대 비극》이수광. 아름다운 날. 2005.05.15. p. 227
4) 윌리엄 셰익스피어《셰익스피어 4대 비극》이수광. 아름다운 날. 2005.05.15. p. 232
5) 윌리엄 셰익스피어《셰익스피어 4대 비극》이수광. 아름다운 날. 2005.05.15. p. 238

6) 고코로야 진노스케 《이제부터 민폐좀 끼치며 살겠습니다》 박재영. ㈜웅진 싱크빅. 2018.07.02. p. 49.
7) 고코로야 진노스케 《이제부터 민폐좀 끼치며 살겠습니다》 박재영. ㈜웅진 싱크빅. 2018.07.02. p. 64-65.
8) 고코로야 진노스케《이제부터 민폐좀 끼치며 살겠습니다》박재영. ㈜웅진싱크빅. 2018. 07. 02. p. 67-68.
9) 이찬영《문득 흔들리고 부서질 때》공그로트. 2017.08.31. p. 32.

10) '스치면 사랑, 스며들면 인연' 기독교학과 소학회 : 예그리나 학회장 조희진 학우(기독17) 인터뷰 [서울여대 / 서울여자대학교]. 2018. 07. 20. 〈https://m.blog.naver.com/seoul_womens/221322000129〉
11) 이경윤《아! 愛양원》KIATS. 2013.03.24. p. 64-66. 내용을 각색.

12) 박현정《하얀불꽃》두 대의 꽃상여. KIATS. 2013.10.31. p. 116-117.
13) 박현정《하얀불꽃》두 대의 꽃상여. KIATS. 2013.10.31. p. 127.
14) 박현정《하얀불꽃》두 대의 꽃상여. KIATS. 2013.10.31. p. 137. 내용을 각색.

15) 〈SBS 스페셜 난독 시대 - 기억에 남지 않는 '찰칵 훑어보기'... 책 읽는 뇌는 다르다〉 2019.07.22. 〈https://news.sbs.co.kr/news/endPage.do?news_id=N1005361657&plink=ORI&cooper=NAVER〉 8분 51초
16) 〈SBS 스페셜 난독 시대 - 기억에 남지 않는 '찰칵 훑어보기'... 책 읽는 뇌는 다르다〉 2019.07.22. 〈https://news.sbs.co.kr/news/endPage.do?news_id=N1005361657&plink=ORI&cooper=NAVER〉 11분 55초.

17) 알베르 카뮈《페스트》4부. 유호식. 문학동네. 2015.12.26. p. 213.

18) tvn 〈책 읽어드립니다〉 32회. 2020.03.10. 페스트_ 도입 부분에서 발췌.
19) tvn 〈책 읽어드립니다〉 32회. 2020.03.10. 페스트_ 감염병을 대하는 3가지 단계.

20) 알베르 카뮈《페스트》2부. 유호식. 문학동네. 2015.12.26. p. 99.

21) 박효실, 이란서 "코로나 막겠다" 소독용 알콜 마셔 525명 사망. 95명 실명. 스포츠서울. 2020.04.28. 〈https://n.news.naver.com/article/468/0000652849〉

22) 알베르 카뮈《페스트》2부. 유호식. 문학동네. 2015.12.26. p. 139.
23) 알베르 카뮈《페스트》2부. 유호식. 문학동네. 2015.12.26. p. 107.
24) 알베르 카뮈《페스트》2부. 유호식. 문학동네. 2015.12.26. p. 194-195. 내용을 각색.
25) 알베르 카뮈《페스트》2부. 유호식. 문학동네. 2015.12.26. p. 194-195. 내용을 각색.
26) 알베르 카뮈《페스트》4부. 유호식. 문학동네. 2015.12.26. p. 244.